10 LIÇÕES SOBRE LEIBNIZ

Dados Internacionais de Catalogação na Publicação (CIP)
(Câmara Brasileira do Livro, SP, Brasil)

Souza, André C.F. de
  10 lições sobre Leibniz / André Chagas F. de Souza. – Petrópolis, RJ : Vozes, 2015. – (Coleção 10 Lições)

  Bibliografia
  ISBN 978-85-326-5137-2

  1. Filósofos alemães 2. Leibniz, Gottfried Wilhelm, Freiherr von, 1646-1716 3. Leibniz, Gottfried Wilhelm, Freiherr von, 1646-1716 – Filosofia I. Título. II. Série.

15-07966   CDD-193

Índices para catálogo sistemático:
  1. Filosofia alemã   193

André Chagas F. de Souza

10 lições sobre Leibniz

EDITORA VOZES

Petrópolis

© 2015, Editora Vozes Ltda.
Rua Frei Luís, 100
25689-900 Petrópolis, RJ
www.vozes.com.br
Brasil

Todos os direitos reservados. Nenhuma parte desta obra poderá
ser reproduzida ou transmitida por qualquer forma e/ou quaisquer
meios (eletrônico ou mecânico, incluindo fotocópia e gravação)
ou arquivada em qualquer sistema ou banco de dados sem
permissão escrita da editora.

Diretor editorial
Frei Antônio Moser

Editores
Aline dos Santos Carneiro
José Maria da Silva
Lídio Peretti
Marilac Loraine Oleniki

Secretário executivo
João Batista Kreuch

Editoração: Flávia Peixoto
Diagramação e capa: Sheilandre Desenv. Gráfico
Ilustração de capa: Studio Graph-it

ISBN 978-85-326-5137-2

Editado conforme o novo acordo ortográfico.

Este livro foi composto e impresso pela Editora Vozes Ltda.

Sumário

Introdução, 7

Primeira lição – Vida e obra, 11

Segunda lição – O grande projeto conciliatório, 23

Terceira lição – O *logos* universal: tudo tem razão, 31

Quarta lição – O Deus de Leibniz, 41

Quinta lição – O tema da substância, 51

Sexta lição – O conhecimento, 61

Sétima lição – A realidade, a percepção sensível e a harmonia preestabelecida, 71

Oitava lição – A dinâmica de Leibniz, 83

Nona lição – Liberdade e destino, 95

Décima lição – Otimismo, progresso e críticas a Leibniz, 107

Considerações finais, 117

Referências, 123

Introdução

Dando continuidade aos títulos desta coleção, apresentaremos outro importante autor que integra a tradição filosófica ocidental: Gottfried Wilhelm Leibniz. O teórico das mônadas é conhecido até mesmo por muitos daqueles que não se envolvem diretamente com os estudos filosóficos. Um livro introdutório como este é válido para auxiliar aqueles que procuram adentrar o trabalho de um autor cuja obra, e já precisamos advertir, parece ela mesma ser uma espécie de labirinto, algo que se assemelha aos problemas que o próprio filósofo considerou serem de difícil solução, os quais se aproximam daquilo que os antigos chamavam de aporias, ou seja, aquilo que leva a um impasse, que não parece ter solução definitiva, que pode ter mais do que uma resposta possível, em suma, aquilo que expressa grande dificuldade para ser compreendido e respondido. Para auxiliar o leitor que vier a se esforçar a ler uma obra complexa, em cada lição ofereceremos algumas chaves de leitura para que ele possa ter certa noção daquilo que encontrará em diversas passagens enigmáticas de Leibniz.

Vale acrescentar que, enquanto bom filósofo, Leibniz buscou desenvolver raciocínios rigorosos sobre diversos temas, mas os quais muitas vezes podem gerar confusão naquele leitor que não perceba estar diante de um pensamento multifacetado. Os textos leibnizianos são obra de alguém que sintetiza diversos argumentos de ordem lógica, científica, teológica e, com papel central, de ordem metafísica. Assim, mais de uma modalidade de problema pode ser suscitada em poucas linhas de algum texto desse autor. Vale a pena, então, apontar como uma modalidade de reflexão de Leibniz tem consequências em outras áreas, por exemplo, um texto de caráter metafísico pode ter consequências de ordem científica ou mesmo de ordem moral. Dificilmente algum de seus textos pode ser visto como uma produção com objetivo isolado.

Não devemos jamais ignorar que os textos de Leibniz fazem parte de um contexto, o qual exatamente fez com que ele se preocupasse com certas questões ligadas a um grande diálogo do seu tempo. Veremos que ele participou da construção do espírito da filosofia moderna à sua maneira.

Alguém que se depara pela primeira vez com a obra leibniziana pode ainda sentir-se realmente perdido pelo fato de não saber por onde começar, principalmente quando toma conhecimento de que o conjunto dos textos do autor preenche quase uma centena de volumes de uma biblioteca. Assim, já que se trata de um grande labirinto, é preciso encontrar um percurso que permita encontrar algumas saídas[1].

---

1. Para este livro procuramos nos valer principalmente de edições dos textos de Leibniz que já foram traduzidos para o português, que infelizmente são ainda muito escassas diante do tamanho de sua obra. A partir delas foi extraída a maior parte dos trechos citados. Quando isso não foi possível, as passagens citadas foram traduzidas por nós.

Primeira lição
Vida e obra

Leibniz nasceu em julho de 1646 na cidade alemã de Leipzig. Sua mãe se chamava Catharina Schmuck. Seu pai foi Friedrich Leibniz, um professor universitário, que Leibniz viria a perder quando tinha apenas 6 anos de idade, mas que lhe deixou como herança uma biblioteca repleta de autores clássicos, à qual Leibniz teve acesso muito cedo, aos oito anos, permitindo que ele se tornasse um excepcional autodidata. A chance de ler as obras dos filósofos e dos escritores antigos lhe permitiu tentar ler as primeiras linhas em latim e grego ainda na infância[2].

Em 1661, Leibniz começou a estudar na Universidade de Leipzig, na qual defendeu uma dissertação de bacharelado intitulada *Sobre o princípio de individuação* (*De principio individui*, em 1663). Um trabalho como esse já revelava os interesses do autor com grandes questões metafísicas desde sua

---

2. Leibniz se descreve em alguns textos autobiográficos como o seu "Wilhelm Pacidius" (cf. LEIBNIZ, 2003, p. 59s.).

juventude, que nesse caso se tratava do princípio de individuação, ou melhor, sobre aquilo que definiria a identidade dos entes no mundo. Ele, no entanto, não se limitaria a tal modalidade de investigação, de cunho especulativo.

Em 1666, já na graduação, Leibniz se dedicou ao direito. Nessa época ele escreveu uma tese de doutorado intitulada *Acerca dos casos enigmáticos em direito* (*De casibus perplexis in jure*). Isso também indicava que, ao longo de sua vida intelectual, Leibniz teria preocupações de caráter ético e jurídico, modalidades práticas de investigação, o que teve influência nas suas decisões sobre o tipo de vida que gostaria de ter e de como exerceria sua imensa capacidade de reflexão.

Não tardou para Leibniz chamar a atenção pelo seu talento intelectual e pela sua dedicação e disciplina nos estudos. Foi-lhe oferecido um posto como professor na Universidade de Altdorf, sem que ele o aceitasse. Tal recusa pode ter sido motivada pelo seu temor em relação a duas possíveis formas de restrições que Leibniz poderia sofrer em relação aos seus propósitos. Uma delas diz respeito ao próprio ambiente acadêmico predominante nessa época, principalmente o alemão, que era relativamente ainda menos avançado quando comparado a outros centros universitários, como os da França e os da Inglaterra. Muitas universidades dessa época, sobretudo as alemãs, dominadas por teólogos, ainda não tinham absorvido integralmente os novos paradigmas filosóficos e científicos advindos da renascença e de pensadores modernos, como Galileu Galilei e René Descartes. Logo, por falar neste autor, parece que Leibniz também se deparava com um ambiente acadêmico não muito diferente daquele criticado quase meio século antes no *Discurso do método*[3], o que reforçava a impressão de certo atraso das instituições acadêmicas alemãs. Em suma, Leibniz já tinha noção das teses dos filósofos e cientistas modernos sem que o ambiente intelectual de sua juventude lhe propiciasse entendê-las melhor.

Outra restrição que levou Leibniz a não se dedicar à carreira acadêmica diz respeito às suas ambições políticas e jurídicas. Tal interesse deve ter surgido nesse filósofo pelo fato de ele ter sido testemunha das consequências de um evento marcante na sua época, a Guerra dos Trinta Anos (1618-1648), que ainda não tinha terminado quando ele nascera e que teve grande impacto sobre a Europa. Como no caso de qualquer conflito armado, há certa complexidade nas causas dessa guerra, mas há destaque para a disputa entre católicos e protestantes e entre dinastias naquela época. Esse conflito trouxe resultados ainda mais desastrosos para a Alemanha,

---

3. DESCARTES, 1973, p. 38s.: *Discurso do método*. Primeira parte.

terra do reformista Martinho Lutero, que teve sua já frágil unidade ainda mais dilacerada. A opção pelo protestantismo custara caro para a terra de Leibniz.

Por ter presenciado uma grande aura de hostilidade entre nações e seitas no seu tempo, Leibniz, em parte expressiva de suas reflexões, começou a apresentar um espírito conciliador, buscando a pacificação a partir do esclarecimento, ou seja, pelo lugar primordial do uso da razão em meio às ações e às relações humanas, inclusive daqueles que governavam, a fim de que estes tomassem melhor suas decisões.

Interessado em um grande projeto pacificador, seria ainda mais inviável para Leibniz se fechar nos muros de uma universidade daquela época. Para intelectuais do período moderno da filosofia, que não dispusessem de grande fortuna, a recusa da carreira acadêmica fazia com que alguns se associassem a algum nobre ou casa real, trabalhando como uma espécie de secretário e pesquisador particular. Essa foi a escolha de Leibniz, que passou a ser patrocinado por Johann Christian Boineburg, um nobre recém-convertido ao catolicismo que introduziu Leibniz na corte do príncipe alemão Elector de Mainz. Com tal apoio, parece que Leibniz encontrara a oportunidade para preparar e executar os seus projetos de cunho intelectual e político com objetivo pacificador.

A associação a Boineburg e a Elector de Mainz permitiu que Leibniz pudesse se estabelecer em Paris em 1672. Apesar de certa trégua na Europa nesse período, havia ainda grande instabilidade política e parecia inevitável haver novas guerras. O rei francês Luiz XIV estava prestes a investir com o seu exército contra a Alemanha[4], ainda com a justificativa de esse ser um território predominantemente protestante. Leibniz tinha o objetivo de desviar a atenção daquele monarca, fazendo com que ele canalizasse suas forças militares sobre o Egito, um país não cristão. Infelizmente, Leibniz não teve muito sucesso nesse seu propósito, pois nem mesmo teve oportunidade para uma audiência com o Rei Sol. Curiosamente, a conquista do Egito pela França ocorreria mais de um século depois com as forças de Napoleão Bonaparte.

Se do ponto de vista diplomático e da busca pela defesa de seu país Leibniz não foi exitoso, aqueles anos em Paris foram importantíssimos para o seu desenvolvimento intelectual, pois lhe permitiram o contato com as teorias realmente modernas, como o pensamento cartesiano. Ele pôde conhecer pessoalmente importantes figuras da ciência. Ele pôde

---

4. Apesar de usarmos esse nome por comodidade, devemos esclarecer que ainda não se tratava do país que conhecemos, unificado, bem-estabelecido em relação às suas fronteiras e com um governo central.

também ter contato com o meio intelectual inglês, com destaque para a sua visita à Royal Society de Londres em 1673, da qual se tornou membro.

Um dos fatos que merecem destaque ainda em meados dos anos de 1670 na vida de Leibniz foi sua descoberta do cálculo diferencial, cuja publicação ocorreu apenas em 1684. Porém, isso gerou uma grande disputa com outra importante figura dessa época, Isaac Newton, que o acusou de plágio. Essa é uma passagem muito controversa na vida dessas duas grandes figuras da Modernidade, mas hoje predomina a tese de que cada um desenvolveu a noção de cálculo de modo independente um do outro e a partir de notações distintas. Newton acabou vencendo essa disputa, sendo considerado o legítimo autor do cálculo diferencial, o que pode ter sido um golpe fatal para Leibniz do ponto de vista público. Não podemos, entretanto, menosprezar a informação de que o julgamento sobre essa questão ocorreu na Royal Society, presidida na época por Newton, por uma comissão da qual ele acompanhou os trabalhos.

Leibniz finalizou o seu período em Paris em 1676, pois Boineburg e o príncipe alemão Elector de Mainz, outro nobre para o qual Leibniz trabalhava, vieram a falecer. Ele se viu obrigado a retornar para a Alemanha, mas antes, no seu caminho de volta para sua terra, teve a oportunidade de se encontrar com Baruch Espinosa na Holanda, em 1676. Leibniz ainda permaneceu associado a outras cortes, assumindo funções burocráticas, vindo a tornar-se bibliotecário em Hanover até os últimos anos de sua vida.

Após o seu retorno para Alemanha, Leibniz buscou levar os avanços intelectuais das outras nações para o seu país. Ele sempre exortou seus conterrâneos a observar o que estava sendo feito pelos pensadores da época, principalmente na França e na Inglaterra, a fim de que fossem imitados. Leibniz acreditava que era possível propiciar a evolução intelectual no seu país por meio da criação de academias científicas. Ele foi bem-sucedido apenas na fundação da Academia de Ciências da Prússia, em Berlim, em 1700.

Leibniz nunca ficou satisfeito com sua ida para a pequena Hanover da época, pois isso trouxe restrições aos seus planos políticos e diplomáticos e talvez mesmo filosóficos. Para seu alívio, ele ainda realizou certas viagens a partir de uma tarefa que lhe foi incumbida e pela qual foi remunerado: a elaboração da história da família Brunswick, cujos membros tinham o objetivo de ganhar mais prestígio entre as cortes no século XVII. Com o pretexto de ter mais materiais para a preparação de tal história, Leibniz ainda pôde viajar para outros lugares, sempre procurando encontrar algum importante intelectual local para realizar discussões sobre os diversos temas que o interessavam.

Outro fato importante a ser acrescentado é que em 1714 um membro da Casa de Brunswick, Georg Ludwig, viria a ser rei da Inglaterra, coroado como George I. Ele, no entanto, não convidou Leibniz para a sua corte, ordenando que ele ficasse em Hanover. Uma das causas para tal pedido talvez tenha sido certa retaliação pelo fato de Leibniz não ter finalizado a história da casa de Brunswick. A outra seria aquela disputa com Isaac Newton, com quem o novo rei não quis causar qualquer indisposição, visto que Newton contava na época com muito prestígio nacional.

Essa ordem pode ter sido um golpe fatal para Leibniz, que caíra em certo ostracismo e pouco pôde fazer para concluir os seus planos de pacificação. O único grande nobre com quem teve maior proximidade para transmitir alguns conselhos foi o imperador russo Pedro o Grande, que parece ter-lhe dado certa atenção.

Leibniz veio a falecer em Hanover em novembro de 1716, cujo enterro teve a presença apenas de seu secretário Eckhart. As escolhas e posições de Leibniz referentes à religião foi um dos motivos para o menosprezo em relação à sua figura por parte dos seus contemporâneos. Ele não se converteu ao catolicismo, o que poderia ter-lhe aberto muitas portas. Todavia, apesar da opção de Leibniz em manter suas convicções e permanecer adepto do protestantismo, isso também não lhe facilitou o reconhecimento público, inclusive entre seus contemporâneos, pois, para tornar sua vida mais difícil, circulavam boatos de que ele se convertera ao catolicismo. Logo, Leibniz fora tratado com desconfiança por adeptos das duas religiões que ele gostaria de conciliar. A busca por vias para pacificação e para a tolerância não parece ter trazido boas consequências para o próprio Leibniz.

A despeito desse drama pessoal, além de uma obra admirável, Leibniz surpreende pela sua erudição, construída desde aquelas leituras na biblioteca paterna. É difícil dizermos com qual tipo de assunto Leibniz não se envolveu, pois ele não apenas produziu textos sobre áreas da filosofia, como metafísica, lógica, política, ética, direito, mas também textos sobre teologia, sobre história, sobre matemática, sobre física, sobre geologia. Ademais, é possível sempre encontrar alguma opinião sua sobre temas diversos, como biologia e estética.

Também seria difícil indicar o título de toda sua produção[5]. Como foi dito, Leibniz publicou pouco, deixando guardada a maioria de seus textos, muitos

---

5. Podemos destacar os que foram usados para a preparação deste livro, que são citados ao longo de suas páginas e nas Referências ao final.

sem título, e de sua valiosíssima correspondência. Acerca do seu importantíssimo conjunto de escritos que são as cartas, é notável como foram destinadas a muitos correspondentes, mais de 1.100, sendo muitos dentre eles pessoas ilustres da época, como Antoine Arnauld, Nicolas Malebranche, Bartolomeu des Bosses, Burchard de Volder, Samuel Clarke, príncipes, reis, princesas e outros nobres, além de outros filósofos que infelizmente não se deram ao trabalho de respondê-las, como Thomas Hobbes e John Locke. Ainda em relação a suas correspondências, é importante notar que elas servem para esclarecer o pensamento de Leibniz ao servirem de material suplementar para os seus textos mais lacônicos (para não dizer enigmáticos).

Aliás, de fato, não apenas suas cartas, mas mesmo outros textos de Leibniz são montados a partir de sua reflexão sobre as obras de outros autores. Entre alguns dos seus textos mais importantes, isso é bem visível, como no caso do *Discurso de metafísica*, um texto crítico dirigido principalmente ao pensamento cartesiano e a Malebranche, um dos grandes herdeiros do cartesianismo, dos *Novos ensaios sobre o entendimento humano*, uma obra crítica relacionada aos *Ensaios sobre o entendimento humano* de Locke, do *Ensaio de teodiceia*, que é uma crítica a certas posições de Pierre Bayle, além de Hobbes e Espinosa. Identificar com quem Leibniz dialoga no seu texto é um importante trunfo para sua interpretação.

Outros textos que merecem ser citados são a sua *Confissão do filósofo*, um texto de juventude que concentra os principais problemas filosóficos investigados por Leibniz, além da sua *Monadologia*, os seus *Princípios da natureza e da graça fundados na razão* ou apenas *Princípios da natureza e da graça*.

Hoje, o acesso aos textos desse filósofo se deve ao esforço de estudiosos dedicados, que começaram a compilar os escritos leibnizianos de maneira mais sistemática a partir do século XIX, passando pelo século XX, entre eles Carl Immanuel Gerhardt, A. Foucher de Careil, Louis Couturat, Gaston Grua e Yvon Belaval. Para quem tiver curiosidade em passar os olhos por algum manuscrito de Leibniz verá como é árduo o trabalho para decifrar papéis, que sofreram certa deterioração pelo tempo, de um autor com uma letra pouco legível, o qual revisava seus textos riscando palavras e escrevendo notas de canto de página. Felizmente, hoje se pode dizer que a parte mais relevante, sobretudo referente à filosofia, já é acessível ao grande público, principalmente com o surgimento da *Edição das obras completas de Leibniz* pela Academia de Berlin. A conclusão dos trabalhos de tal edição foi interrompida por causa da Segunda Guerra Mundial, que teve impacto nas atividades dos pesquisadores.

Leibniz foi um pensador incansável, que trabalhava incessantemente, escrevendo dias e dias. É curioso que Leibniz escrevia de maneira incansável a ponto de se perder diante da sua imensa quantidade de papéis. Segundo o seu próprio relato, quando não mais se lembrava onde estaria algum dos seus escritos, ele optava alegremente por reescrevê-lo, pois era adepto convicto do exercício intelectual. Às vezes, dormia em sua poltrona algumas horas e antes do amanhecer já recomeçava suas atividades. A partir de tal dedicação, hoje o leitor pode reconhecer a fascinante filosofia desse pensador.

Segunda lição

O grande projeto conciliatório

Como já foi mostrado, Leibniz tinha intenções de ordem não estritamente teóricas subjacentes mesmo às suas teorias mais abstratas, como as metafísicas; essas ainda merecerão tratamento à parte. Vale a pena entender um pouco melhor os anseios, por assim dizer, práticos, e a influência disso sobre o pensamento leibniziano.

Leibniz tinha um projeto antes de tudo pacificador. A partir do que foi apresentado, foi possível notar que a Europa de sua época era um continente em estado de grande efervescência política, o que levou a diversas disputas armadas. Esses conflitos eram motivados por questões políticas e econômicas, mas também, como vimos, a partir de questões teológicas, baseadas na polarização religiosa interna da Europa ocorrida entre católicos e protestantes. Por isso o seu projeto pacificador passava pela tolerância religiosa fundamentada no uso da razão. Leibniz buscava formas para conseguir a paz a partir da conciliação entre católicos e protestantes por meio da demonstração de teses teológicas que pudessem ser aceitas por ambos de maneira inquestionável.

Tal tipo de projeto conciliador não é completamente novo, pois quem quer que já tenha lido as *Meditações metafísicas* de Descartes notará a busca por demonstrações de temas de cunho teológico. A diferença é que, no período de Descartes, buscava-se mais convencer os infiéis acerca da existência de Deus e da imortalidade da alma, de modo a distingui-la do corpo orgânico mortal e, portanto, provando que ela poderia não perecer com o fim deste[6]. Assim, demonstrações referentes a temas teológicos também dizem respeito à conciliação entre coisas da fé e princípios da razão. Não se deve ignorar que o período moderno da filosofia se caracterizou, sobretudo, pelo lugar central dado à razão, e por isso o uso da palavra demonstração. Ao se suscitar uma demonstração, as crenças do indivíduo não deveriam ser mobilizadas para chegar ao conhecimento, mas antes a sua capacidade de raciocínio, que deveria fazer com que ele atingisse tal saber de maneira objetiva. Leibniz, por exemplo, também refletiu sobre demonstrações acerca da existência de Deus de tal maneira que fosse en-

---

6. Cf. "Carta introdutória das *Meditações metafísicas*". In: DESCARTES, 1979, p. 83-86.

tendida por todo aquele que se valesse da razão, independentemente de se reportar a um público católico ou protestante.

Ainda com o espírito conciliador, Leibniz buscou associar pensamentos filosóficos diversos. O período moderno da filosofia, herdeiro do movimento Renascimento, é conhecido pelo espírito de ruptura com as correntes filosóficas anteriores, as escolas antigas e as escolas medievais. O foco dessa crítica seria Aristóteles e toda filosofia por ele baseada. Boa parte do pensamento filosófico e das formulações científicas era atravessada pelos preceitos aristotélicos, mesmo que fosse muitas vezes de maneira enviesada, passando pelo crivo de pessoas ligadas às ideologias cristãs.

A Revolução Científica, iniciada por intelectuais como Nicolau Copérnico e Giordano Bruno, cuja síntese seria expressa pelo pensamento de Galileu Galilei, ocasionou uma mudança de visão de mundo por parte dos modernos. A compreensão dos eventos da natureza não passaria mais por teses metafísicas aristotélicas, como a noção de lugar natural, ato e potência, o cosmo finito fechado, a separação do cosmo em duas regiões, a supralunar e a sublunar, e a posição central da Terra em relação a todos os astros. Todavia, um dos aspectos mais impactantes dessa revolução foi a visão, por assim dizer, quantitativa do mundo, que poderia ser entendido de maneira matemática, e não mais a partir de perspectivas metafísicas, como a natureza interna a cada corpo, relacionado à sua matéria para se individualizar e à sua forma substancial para se definir, mas que poderia ter seu comportamento entendido a partir de suas medidas e de sua relação com os outros corpos. Doravante, o universo se daria em linguagem matemática, como afirmava Galileu[7].

Nessa época, era comum que os filósofos e cientistas optassem por uma das correntes de pensamento, ou pelo pensamento tradicional aristotélico-medieval ou pelo pensamento advindo da Revolução Científica. Segundo relato do próprio Leibniz, na sua juventude, ele se deparou com tal dilema, vendo-se diante de uma difícil decisão:

> Quando criança, aprendi [o pensamento de] Aristóteles, sem que eu de maneira alguma deixasse de estudar os escolásticos; eu nunca me aborreci com eles até então. Mas Platão, assim como Plotino, também me agradava, sem falar de outros antigos que eu consultava logo na sequência. Tendo finalizado o ensino básico, debrucei-

---

7. "A filosofia se encontra escrita neste grande livro que continuamente se abre perante nossos olhos (i. é, o universo), que não se pode compreender antes de entender a língua e conhecer os caracteres com os quais está escrito. Ele está escrito em língua matemática, os caracteres são triângulos, circunferências e outras figuras geométricas, sem cujos meios é impossível entender humanamente as palavras; sem eles nós vagamos perdidos dentro de um obscuro labirinto" (GALILEU, 1999, p. 46: "O ensaiador").

-me sobre os modernos. Lembro-me que aos quinze anos passeava só em um bosque próximo de Leipzig, chamado Rosendal, para deliberar se eu conservaria as Formas substanciais. Prevaleceu, enfim, o mecanicismo, fazendo com que eu me aplicasse nos estudos matemáticos[8].

No pensamento tradicional, as perspectivas filosóficas e científicas eram pautadas em conceitos de origem aristotélica, como a noção das formas substanciais, que moldariam as concepções metafísicas, pois os seres seriam caracterizados sobretudo por causa das suas *formas*, e isso teria reflexo na natureza (*physis*) de cada um dos seres, por exemplo, o movimento dos corpos, como a sua queda ou o seu movimento retilíneo.

No caso dos preceitos do pensamento moderno, havia uma redução dos corpos aos seus atributos matemáticos, o que permitiria entender o movimento a partir das relações que poderiam ser mensuradas, e por isso a associação intrínseca entre os estudos mecânicos e a matemática. Para eles, os princípios do pensamento tradicional seriam pouco objetivos, pois seriam demasiadamente metafísicos.

Leibniz, então, adotou integralmente o modelo de pensar moderno, mas apenas em um determinado e curto momento de sua vida. Ele não tardou

---

8. LEIBNIZ, 1961, vol. III, p. 606: Carta de Leibniz enviada a Remon em 10 de janeiro de 1714.

em voltar atrás e reconhecer que havia ideias dos antigos que não seriam de todo mal, e logo ele começou a fazer certas concessões ao pensamento tradicional. Recusou-se em adotar integralmente o modelo moderno de reflexão em suas investigações sobre as razões últimas do mecanicismo. Leibniz disse que fora obrigado a retornar à metafísica[9]. Apresentar de maneira um pouco mais detalhada o que está implicado nesse pensamento do autor toca um tema que será tratado em outra lição[10], mas é importante já termos alguma noção sobre o porquê de Leibniz concluir que seria válido retomar aspectos da filosofia tradicional.

Apesar de Leibniz ter-se revelado um pensador crítico, ele nunca olhou os outros pensamentos com o objetivo de descartá-los, mas antes de depurá-los e notar aquilo que teriam de verdadeiro.

> Considero que a maior parte das seitas tem razão em boa parte naquilo em que elas avançam, mas nem tanto naquilo que elas negam. Os formalistas, como os platônicos e aristotélicos, têm razão em procurar a fonte das coisas nas causas finais e formais, mas eles se equivocam ao negligenciar as eficientes e materiais e de inferir, como o Sr. Henri Morus na Inglaterra

---

9. Ibid.

10. Oitava lição.

e alguns platônicos, ao dizerem que há fenômenos que não podem ser explicados mecanicamente. Mas, por outro lado, os materialistas, ou aqueles que adotam unicamente a filosofia mecanicista, se equivocam ao rejeitar as considerações metafísicas, e de querer explicar tudo mesmo aquilo que depende da imaginação[11].

Leibniz era um autor extremamente crítico, mas em um sentido distinto do que se costuma pensar sobre alguém com tal qualidade. Leibniz não era um autor obstinado em colocar abaixo o pensamento de outros filósofos de maneira radical, mas antes buscava separar no pensamento alheio aquilo que considerava coerente daquilo que não considerava como tal. Por isso, podemos considerá-lo um autor crítico. É óbvio que enquanto filósofo ele tinha suas próprias teses e tomava as dos outros a partir de sua própria posição filosófica. Todavia, Leibniz ainda tinha uma perspectiva positiva em relação às outras filosofias, tanto que no

---

11. LEIBNIZ, 1961, vol. III, p. 607. Apesar de Leibniz se valer do termo imaginação, ele não se refere à mera formação de imagens na mente sem uma preocupação que isso de fato tenha respaldo real. Pelo contrário, imaginação aqui significa o exercício para penetrar no cerne da própria realidade e, por isso, trata-se de um esforço conceitual metafísico. Ainda acerca desse trecho citado, ele será melhor entendido após as lições referentes à noção leibniziana de harmonia a ser tratada nas Sétima e Oitava lições.

trecho acima ele considera que o maior equívoco encontrado nas reflexões de outros autores seria mais relacionado àquilo que eles negam do que em relação àquilo que costumam afirmar.

Terceira lição

O *logos* universal: tudo tem razão

Leibniz afirma que, se prestarmos atenção no mundo, notaremos que sempre é possível encontrar uma razão para que as coisas sejam como são e para a ocorrência dos fatos. Ele diz que, por exemplo, se traçarmos uma série de pontos em um papel, isso será uma ação ao acaso apenas em aparência, pois seria possível encontrar uma equação que indicasse a ordem de todos esses pontos, assim como também seria possível revelar uma função matemática de uma representação gráfica de um rosto[12]. Mesmo que muitas vezes não compreendamos algum fato ou mesmo nos deparemos com algum fato que chamemos de milagre, o filósofo entendia que isso não seria suficiente para dizer que não há razão ou que se trate de algo absolutamente ininteligível. Procuremos entender as fontes de tal ideia.

---

12. LEIBNIZ, 2004, p. 12: "Discurso de metafísica", § VI.

Leibniz é um filósofo reconhecido como típico representante da corrente filosófica moderna denominada racionalista e também como um grande admirador da lógica. Ainda jovem, por volta de 1666, ele começou a esboçar a sua *Arte combinatória*, um texto cujo objetivo era apresentar uma notação simbólica que revelasse os passos para o desenvolvimento de um pensamento estritamente formal e livre de ambiguidades em relação aos mais diversos assuntos. Conforme o projeto da *Arte combinatória*, Leibniz tentou encontrar objetos indecomponíveis do pensamento, que seriam reduzidos a caracteres simples, e regras que pudessem realizar a combinação de tais elementos, a fim de permitir uma representação de coisas complexas, conforme um processo tipicamente lógico. Restaria ao filósofo elaborar uma espécie de alfabeto do pensamento humano que pudesse alimentar essa arte combinatória, a qual reduziria todas as investigações humanas a uma espécie de cálculo.

Chama a atenção o empenho de Leibniz em tal projeto principalmente por uma motivação jurídica. De posse de sua arte combinatória, ele pensava poder resolver muitos impasses do direito, pois ele considerava que diversas querelas nessa área ocorriam por causa de uma imprecisão na linguagem, que caso fosse formalizada poderia permitir um cálculo racional que dissolvesse querelas do âmbito do direito.

A confiança no desenvolvimento da lógica por parte desse filósofo não se restringiu ao campo do direito, que serviu mais para dar início a um grande sonho de elaboração de uma *mathesis universalis*, nos moldes cartesianos, ou seja, tratava-se de um projeto metodológico. Leibniz procurou elaborar uma característica universal, inclusive válida para a metafísica. Se ele insistiu por certo tempo no avanço desse programa, foi porque ele entendia que todo o mundo, toda realidade, se daria a tal linguagem formalizada, ou seja, a referência dessa linguagem seria completamente racional. A partir de tal visão, o mundo se revelaria como uma espécie de grande cômputo, cuja causa de sua organização seria uma espécie de grande matemático, que veremos tratar-se de Deus.

Apesar de Leibniz não ter tido o sucesso esperado na formalização da sua arte combinatória enquanto um método definitivo, sua perspectiva com fortes contornos lógicos em relação ao mundo avançou sobre os textos dos anos que se seguiram a partir de 1680, uma fase posterior aos seus anos em Paris, quando ele pôde aprimorar os seus estudos em diversas disciplinas, como matemática e física. Por volta de 1686, surgiu o seu famoso *Discurso de metafísica*, um marco para a sua filosofia, pois havia nesse texto o esforço para extrair conclusões relacionadas a certos preceitos ontológicos por ele elaborados. E realmente no *Discurso* Leibniz se vale de diversos elementos descobertos nos seus anos de juventude.

É importante lembrar que o período em que surgiu esse escrito, quando o filósofo se instalou definitivamente em Hanover, é o momento em que se inicia a fase madura das suas reflexões, quando ele começa a dar contornos mais nítidos das suas concepções metafísicas.

Apesar de ser tema específico de outra lição[13], para avançarmos na compreensão da perspectiva ultrarracionalista de Leibniz, é preciso adiantar alguns pontos da metafísica leibniziana, referentes à fase madura do seu pensamento metafísico, para a qual ele deve ter-se validade de teses da sua juventude para formulá-los. Leibniz não demorou para considerar que o mundo fosse composto por uma infinidade de entes, que denominaremos de maneira genérica como *substâncias*, os legítimos seres[14]. Todos os fatos do mundo seriam, então, um acontecimento referente a alguma substância, que junto às outras se expressariam como sujeitos últimos de tudo aquilo que se passa no mundo.

---

13. Quinta lição.

14. Como ainda veremos, o que variou em sua filosofia foi a definição específica do significado de substância criada.

Leibniz compactuava ainda com o pensamento aristotélico de que o discurso racional sobre o mundo se baseia em proposições que seguem o modelo da articulação entre sujeito e predicado. Dessa forma, ao buscarmos um discurso informativo ou o conhecimento sobre algo, isso se basearia na proposição em que há atribuição (ou negação) de um predicado a um sujeito. As substâncias seriam, então, apresentadas na forma de sujeitos e os fatos, na forma de predicação.

Ao tomar o modelo predicativo baseado na atribuição de um predicado a um sujeito, Leibniz também tomou uma noção predicativa de verdade, que ele denomina de noção geral de verdade, resumida da seguinte maneira: *"o predicado contido na noção do sujeito de toda proposição verdadeira"*[15]. Dessa maneira, os textos de Leibniz revelam toda uma estrutura metafísica que lhe é própria, a partir da ideia de que toda verdade se revela a partir de uma proposição que indica o predicado que pertence (ou não) ao sujeito.

Segundo Leibniz, também seguindo certos preceitos lógicos, há duas modalidades de predicação. A primeira é chamada de necessária, pois se restringe à definição de algo. Por exemplo, uma proposição do tipo "Sócrates é ser humano" é absolutamen-

---

15. LEIBNIZ, 2003, p. 379.

te *necessária*. Ela é necessária, pensa Leibniz, porque ela se baseia em um princípio que, neste caso, é *o princípio de não contradição*. Ao se afirmar a proposição de que "Sócrates é ser humano" não se pode conceber que esse sujeito não seja humano, ou seja, a proposição "Sócrates não é ser humano" é *impossível*. Ademais, quando nos reportamos à realidade, identificamos como uma das notas inegáveis de Sócrates o seu caráter de humano. É preciso ainda notar um detalhe, pois as predicações necessárias não dizem respeito prioritariamente a situações espaçotemporais, que chamamos genericamente de fatos, pois, retomando o exemplo, a humanidade é uma das definições de Sócrates independentemente do tempo, ou mesmo se ele não viesse a existir, assim como uma figura, como o quadrado, tem quatro lados iguais, e isso independe das amostras de quadrados que temos no mundo.

A segunda modalidade predicativa se liga mais estreitamente aos fatos. Leibniz denominada *contingente* tal tipo de modalidade. Tomando um fato qualquer, como uma ação de "Júlio César"[16], que pode ser considerado um sujeito, ao passo que "sua travessia do Rubicão para fundar Roma" pode ser considerada uma predicação. Logo, a proposição

---

16. Esse é um exemplo utilizado pelo próprio Leibniz e constantemente é encontrado nos textos dos estudiosos desse autor. Cf. LEIBNIZ, 2004, p. 26-27: "Discurso de metafísica", § XIII.

completa seria "César atravessa o Rubicão em 49 a.C." A diferença entre proposição necessária e proposição contingente como essa é que não é inconcebível que "César não atravesse o Rubicão em 49 a.C.", pois é possível que ele tome a decisão de ficar onde está ou de ir para outro lugar, não mais desafiando o Senado Romano.

Assim, nosso conhecimento sobre o mundo se pautaria nesses dois modelos de predicação, e Leibniz pensa que as coisas estão abertas integralmente para se revelarem para o nosso discurso. É visível que não é tão difícil identificarmos a verdade, ou seja, a conexão entre sujeitos e predicados no caso de proposições necessárias. Não podemos negar que "Sócrates é ser humano", assim como outros de seus predicados, como "ser racional", "respirar", "alimentar-se" etc., da mesma forma que não podemos negar a propriedade "ter quatro lados" da "figura quadrado". Há certa comodidade para proferir proposições absolutamente necessárias. Não é tão fácil, entretanto, identificarmos o que torna verdadeiro as proposições contingentes, visto que não parece bastar proferi-las para que sua verdade se revele. Leibniz entende que elas não participam menos da noção geral da verdade.

Leibniz poderia entender que proposições contingentes revelam sua verdade uma vez constatemos os fatos por elas indicados. Mas isso iria de encontro à sua tese de que o mundo é essencialmente inteligível, que se dá integralmente à compreensão racional. Esperar que apenas a ocorrência dos fatos fornecesse as informações sobre o mundo seria aplicar-lhe certa indeterminação. Leibniz entendia que precisava justificar a máxima racionalidade de tudo o que se passa no mundo, não apenas em relação à definição das coisas, pela via da conexão *a priori* de todo predicado com um sujeito, a despeito das limitações do entendimento humano. Leibniz entende que tudo seria inteligível, já que toda enunciação sobre qualquer evento no mundo teria *a priori* o seu valor de verdade.

Deveríamos então questionar qual o direito de Leibniz em defender essa máxima inteligibilidade do mundo ou ao menos o que faz com que ele entenda que mesmo proposições que não sejam exclusivamente conceituais, mas que se refiram a fatos no tempo, sejam verdadeiras.

Acerca das proposições necessárias, foi visto que elas eliminam as proposições que lhes são opostas. O seu valor de verdade seria expresso e dependeria do princípio de não contradição. Assim, "o quadrado é uma figura de quatro lados" é uma proposição verdadeira, pois é impossível que "o quadrado não tenha quatro lados".

Leibniz entende que mesmo em casos de proposições sobre fatos há um critério para que o predicado esteja na noção do sujeito, gerando verdade. Tal critério, que se distingue do princípio de não contradição, é aquele que Leibniz denomina *princípio de razão suficiente*, a partir do qual é indicado que nenhum enunciado é verdadeiro sem que haja uma razão suficiente para que o fato que o fundamenta seja assim e não de outro modo[17].

Em suma, Leibniz reforça a ideia de que há sempre uma razão, que poderia ser verificada *a priori*, para a presença de um predicado no conceito do sujeito. Uma proposição é verdadeira porque a noção do predicado se encontra na noção do sujeito, com uma razão para tal conexão.

Tudo, absolutamente tudo, pensa Leibniz, tem uma razão para ser como é, mesmo que não possamos imediatamente identificar tal razão ou nos reste apenas a experiência ou a constatação do fato no momento do seu acontecimento. Com tal tese, um evento, como "César atravessa o Rubicão em 49 a.C." tem sua razão antes mesmo do seu acontecimento, ou seja, tem sua razão suficiente.

A junção entre o sujeito e o predicado já teria sua razão. Se tal ligação não for em função de uma impossibilidade da negação do predicado, Leibniz considera ainda que tal elo ainda deve ter uma razão, independentemente de nossa incapacidade

---

17. LEIBNIZ, 2004, p. 137: "Monadologia", § 32.

para identificá-la antes da ocorrência do fato por ela expressado. O conhecimento de tal conexão ("César e sua travessia do Rubicão") seria possível para um ser de visão infinita. Assim, abre-se espaço para o Deus leibniziano, que conhece *a priori* cada predicado que se encontra na noção da criatura ou não[18]. O princípio de razão suficiente se relaciona diretamente com esse ente. Ademais, o mundo pela sua própria origem já teria uma razão, não apenas para existir, mas também para ser como é[19]. O mundo apresenta indícios de ser absolutamente racional, e isso diz respeito à sua causa. Logo, é preciso voltar ao primórdio deste plano existente para entender a sustentação da tese leibniziana de que tudo, absolutamente tudo, tem razão.

---

18. LEIBNIZ, 1961, vol. II, p. 19.

19. LEIBNIZ, 2004, p. 158: "Princípios da natureza e da graça", § 7.

Quarta lição
O Deus de Leibniz

Vimos Leibniz referir-se ao princípio de razão suficiente, pois o mundo desde sua origem, para ser como ele é, teria todos os fatos que o integram como absolutamente racionais. Isso nos remete à origem racional de tal plano, que no caso da filosofia leibniziana nos leva à noção de Deus.

Deus é um termo corrente no período moderno da filosofia, mas com cargas conceituais distintas no pensamento dos seus diversos autores. Basta notar a diferença entre o Deus de Descartes, uma terceira substância ao lado da *res cogitans* e da *res extensa*, e o Deus de Espinosa, que seria a única substância existente, revelada por infinitos atributos, dentre os quais conheceríamos o pensamento e a extensão.

Cada um dentre esses Deuses costuma operar de uma maneira específica enquanto sustentação ontológica. Em relação a isso a filosofia de Leibniz não é exceção, pois esse autor também forja o seu conceito de Deus, acerca do qual serão buscadas algumas de suas características, principalmente enquanto tomado como um ser absolutamente racional. Para compreender melhor esse Deus-razão leibniziano é interessante acompanhar um pouco dos "primórdios" dessa filosofia na questão do processo da eleição divina do *melhor dos mundos possíveis*, levando em conta os critérios que originam tal plano e os seus componentes.

Antes do esforço de revelar o Deus com sua atividade criadora, segundo Leibniz, é válido buscar um caminho para que esse personagem entre em cena. No ensaio "Da origem primeira das coisas"[20], de 1697, o autor se vale de um argumento bastante utilizado em quase toda a sua produção filosófica, a saber, que não se pode encontrar a razão deste mundo nele mesmo, ou melhor, em nenhuma das coisas limitadas e contingentes que o integram e que se encadeiam formando uma espécie de série dos fatos que nele ocorrerão. Além disso, nem mesmo em tal série que expressa o mundo tomado em sua totalidade é possível encontrar sua razão, mesmo que ela se estenda ao infinito em suas extremidades, passado e futuro. Sempre a causa de algo poderia ser reportada a outra anterior quando levada em conta a sua realidade e, em tal sequência, seria possível que ela se estendesse ao infinito sem que

---

20. LEIBNIZ, 1974, p. 393-394: "Da origem primeira das coisas". Cf. LEIBNIZ, 2004, p. 158: "Princípios da natureza e da graça", § 8.

fosse encontrada a causa última dessa série. Logo, a causa última do mundo, de sua realidade, deve ser extramundana, localizada em um ser que, este sim, seria a causa de sua própria realidade, sem que precisasse reportar-se a outra causa[21], pois ela tem o privilégio de sua existência integrar sua essência, fazendo com que se trate de um ser real necessário. Lembrando que deve haver tal fim na série causal, pois também não é razoável que a série de causas não tenha um fim e sempre se ligue a outra causa anterior, propagando-se ao infinito e, assim, desintegrando sua razão. Essa causa última, que não depende de mais nada e que é a origem de tudo o que há, seria Deus, pensava Leibniz. Tem-se, dessa forma, uma espécie de prova da existência divina pela via cosmológica, ao ser investigada a origem e organização do mundo.

Já devemos acrescentar outra cláusula corrente na filosofia leibniziana. Deus seria único, pois a causa ou razão de algo deveria ser exclusiva, sem que houvesse conflito entre causas, como pensavam os maniqueístas, os defensores de uma causa daquilo que há de bom e outra para aquilo que há

---

21. Ibid. O autor ilustra esse caso com os *Elementos de Geometria*, de Euclides, imaginando uma série de cópias, sempre se reportando à anterior, mas sem que se pudesse dar a razão última de cada um dos exemplares apenas em meio a tal série de cópias, sem encontrar nela o volume original que não seria ele mesmo cópia (cf. LEIBNIZ, 1974, p. 393: "Da origem primeira das coisas").

de mal, livrando Deus da causa do mal, por um tipo de duplicação de entes de maneira simétrica. A razão de algo é una, pois do contrário seria preciso procurar outra para se sobrepor às outras supostas razões (provisoriamente últimas)[22].

Colocado Deus em campo, ao ser revelada a sua existência, e a sua posição, é preciso mostrar em parte as principais características do criador. No texto *Princípios da natureza e da graça*, Leibniz defende que os atributos de Deus podem ser descobertos a partir do que se observa nas criaturas, nas racionais em específico, pois elas é que mais estariam próximas do seu criador, em relação ao qual elas podem se consideradas como seu efeito. Feitas tais observações, destacar-se-iam principalmente três atributos, *o poder, o conhecimento e a vontade*[23]. Vale notar que Leibniz teria identificado esses atributos divinos a partir de uma reflexão sobre nós mesmos, visto que seríamos efeitos diretos da nossa causa e, por isso, a refletiríamos, porém em outra proporção.

Logo, haveria diferença em tais atributos quando tomados nas criaturas de quando tomados em Deus, pois, ao contrário do que se passa nelas, po-

---

22. Isso forçou Leibniz a tratar da difícil conciliação da figura perfeita de Deus com a presença do mal no mundo.

23. LEIBNIZ, 2004, p. 158-159: "Princípios da natureza e da graça", § 9.

der, sabedoria e vontade estão livres de limites no caso do Criador. Conforme no início do *Discurso de metafísica*[24], essa falta de limites ou o caráter de infinito dos atributos em Deus se relaciona a um absoluto, não a uma falta de limites em estilo numérico, o que seria contraditório, já que, por exemplo, o poder divino não pode ser considerado sem limites da mesma forma que se toma a ideia de o maior dos números ou a maior das figuras, pois sempre se pode tomar, por exemplo, algum número ainda maior, como o dobro daquele que fora considerado maior, o que gera contradição expressa ou ao menos uma indeterminação, que se opõe àquilo que tem caráter de absoluto.

Leibniz procurou mostrar que o poder divino é absoluto porque ele pode realizar tudo aquilo que é possível realizar, mesmo que tal possibilidade seja infinita; não é o caso de ele sempre poder mais e mais. Da mesma forma, Deus pode conhecer tudo aquilo que é possível conhecer, e não que seu conhecimento seja apenas capaz de se estender mais e mais sem limites. Já a perfeição da vontade indica que Deus se dispõe sempre a optar por aquilo que ele julga ser o melhor a ser feito. Por isso, o Deus leibniziano é entendido pela perspectiva do infinito atual, pois não se trata de uma potência que se desenvolve infinitamente, o que poderia ser sinô-

---

24. LEIBNIZ, 2004, p. 3: "Discurso de metafísica", § I.

nimo de indefinido, mas antes um absoluto já real e definido, mas difícil de ser entendido por seres criados com entendimento limitado para algo tão imenso e que costumam se confundir com seus pensamentos, os quais costumam ser na ordem da temporalidade, ao passo que Deus, para Leibniz, estaria fora do tempo[25].

Segundo Leibniz, Deus é dotado de vontade, mas é preciso que haja opções para que ela seja exercida. Por um lado, estamos no território divino, em que há poder máximo ou onde nada pode impedir Deus de fazer o que ele quiser. Por outro, não seria muito coerente destacar apenas tais atributos no caso do criador e tomá-los sem que houvesse algum princípio guiando o processo de criação, pois do contrário, pensa Leibniz, Deus seria semelhante a um tirano, para o qual bastaria querer algo para imediatamente realizá-lo, sem que nada pudesse impedi-lo, independentemente do que quisesse. Entretanto, o criador deveria, antes, buscar uma obra que se identificasse com ele, enquanto ser supremo. E não bastaria que Deus simplesmente se valeria de sua condição de onipotente para criar tal tipo de obra, tornando-o digno de glória, pois as opções de criação deveriam carregar o seu próprio

---

25. Entre outros temas, como este da atemporalidade divina, vale a pena conferir o artigo *Leibniz e os futuros contingentes*, de Luiz Henrique Lopes dos Santos (SANTOS, 1998, p. 119-121).

valor, podendo ser por si mesma boa ou má. Ficaria a cargo de Deus a compreensão de tal valor e, caso considerasse uma opção adequada, realizá-la ao criar o mundo que melhor o refletisse.

Deus deveria valer-se por completo de seus atributos, sem que um tomasse por si mesmo a direção da criação ou interferisse no papel de outro. Em outras palavras, o poder não deveria ser exercido de forma cega e a vontade não deveria julgar. O entendimento por si mesmo seria insuficiente para determinar a escolha ou para fazer com que algo existisse; mas esse atributo seria o grande guia divino no processo de identificação e de escolha do mundo que tornasse o criador digno de glória.

Portanto, conforme os escritos de Leibniz, Deus julgaria aquele plano que melhor expressasse suas características divinas, sendo tomado como objeto pela sua vontade perfeita e, portanto, bem disposta. Por essa via é que o filósofo afirmava que poderíamos invocar a onipotência do criador, sem que nada pudesse impedir sua vontade de acatar o melhor plano julgado por ele, realizando-o de tal maneira que ele se torne realmente digno do título de Deus. Conforme esse pensamento, Deus não entende seu objeto a ser criado enquanto quer criá-lo, ou seja, ele não torna algo inteligível ou verdadeiro porque assim o quer, mas antes identifica racionalmente o objeto de sua vontade. Em suma, mesmo sendo onipotente, Deus não cria a verdade, que ele apenas identifica.

Teríamos, conforme essas teses de Leibniz, uma origem racional do mundo, a qual, por sua vez, se depararia com um objeto completamente inteligível, no caso o mundo. Isso é que subjaz ao princípio de razão suficiente, que indica que nenhum fato é sem razão, pois tudo se dá integralmente ao entendimento, tanto que Deus teria levado isso em conta antes de criar.

Deus, antes de eleger sua obra, ponderou, entre diversos planos, os mundos possíveis, que são os conjuntos completos com os respectivos seres que os integram. Deus identifica com sua razão aquele que é melhor, o mais rico em realidade e perfeição, e como Ele tende ao que reflete sua figura de ser perfeito, elegeu a melhor obra. Logo, cada fato no mundo deve ser compreendido como a obra concebida graças à ponderação do criador, que tudo entende antes mesmo de supostamente eleger com a realidade.

A contraparte disso é aquele caráter de racional ao limite que identificamos nas coisas, sendo que nenhuma é feita fora de ordem e cujo reflexo lógico é a associação *a priori* de todo predicado a um sujeito. Logo, voltando ao "César que atravessa o Rubicão em 49 a.C.", esse fato se dá de tal maneira que Deus o identifique antes mesmo de acontecer, ao ponderar sobre o plano a ser escolhido, lembrando que para todo fato há uma razão suficiente.

Já podemos identificar aqui um problema, pois parece que restaria pouco espaço para as ações das criaturas deste mundo, inclusive no caso dos seres humanos. Se já estivesse indicado na noção de César que ele atravessaria o Rubicão em determinado momento, como é possível dizer que ele realizaria tal ação livremente? Leibniz entendeu que a razão suficiente para um fato como esse não se deve apenas ao entendimento divino, que realmente o identifica *a priori*, visto que Ele tem entendimento absoluto. Esse filósofo afirmou que a razão suficiente dos fatos não se pauta apenas numa visão infalível nem na causa da realidade dos mesmos, mas também naquele que agirá quando for momento efetivo para ocorrer a ação. Antes de tomar essa questão, referente ao problema da conciliação entre liberdade e determinação[26], devemos ainda passar por outras questões da filosofia leibniziana, a começar pelas próprias criaturas que integram o mundo, e entender como elas contribuem para a máxima inteligibilidade do mundo, completamente abarcada apenas por Deus.

---

26. Tema da Nona lição.

Quinta lição
O tema da substância

Da mesma maneira que muitos dos seus contemporâneos, Leibniz se esforçou para compreender o fundamento último do real. Isso é visível nas suas investigações acerca da causa última da razão e da realidade do mundo, que como vimos na lição anterior se trata de Deus. Entretanto, no caso da filosofia leibniziana, a investigação ontológica não se limita ao entendimento dessa causa, pois ele concluiu que há outros entes que apresentam certa independência do ponto de vista da realidade.

Leibniz se voltou para a análise do conceito de substância criada. Entretanto, como já foi advertido, trata-se de um tema que sofreu certas variações desde o início da fase madura do pensamento de Leibniz até os seus últimos escritos. Para ilustrar tais mudanças, basta tomar os dois principais termos absolutamente distintos que o filósofo tomou para denominar os seres, um é *substância individual*, presente no *Discurso de metafísica* (redigido em meados de 1686), o outro é *mônada*, presente na própria *Monadologia* e nos *Princípios da natureza e da graça* (redigidos em 1714).

Em um artigo muito esclarecedor, um importante estudioso da filosofia de Leibniz, Michel Fichant, questiona se essa seria apenas uma mudança de nome ou se essa variação de vocabulário representaria alterações profundas na metafísica de Leibniz. Fichant mostra que sim, que houve tais mudanças profundas, sobre as quais apresentaremos alguns aspectos[27]. Para entendê-las, antes, é importante realizar o exercício de extrair alguns elementos que parecem atravessar o percurso da ontologia de Leibniz, ao menos a partir do ponto em que ele assentou certos princípios, em meados de 1680.

Percebemos que Leibniz logo se direcionou para a tese de que o mundo é composto por diversas substâncias, ou, ainda, por infinitas substâncias criadas. Com isso, ele se distanciou do dualismo substancial da filosofia de Descartes, para o qual haveria a substância pensante (*res cogitans*) e a substância extensa (*res extensa*). Leibniz entrava em certo acordo como o autor do *Discurso do método* pelo fato de ambos entenderem que Deus é uma substância independente e, em parte, por defender seres que se definem como espécies de mentes, como é expresso pelo *cogito* cartesiano. A

---

27. FICHANT, 2000, p. 12-14.

divergência principal se dá em relação à substância extensa, que, como ainda será tratado melhor[28], não representaria um caso de legítima substância conforme a filosofia de Leibniz.

Ele se distanciou de maneira ainda mais radical da metafísica de Espinosa, pois este filósofo na sua obra *Ética* postulou a existência de apenas uma única substância, que ele chama Deus; daí sua máxima: *Deus sive natura*, ou seja, "Deus ou natureza". Logo, para Espinosa todas as coisas não passariam de expressões finitas da única substância infinita, referentes aos atributos de Deus, como o atributo extensão e o atributo pensamento, mas sem que elas mesmas fossem elevadas ao grau de substância[29]. Tudo se daria como se fosse oriundo das atividades divinas, sendo-lhe imanente. Essa posição seria ainda mais inaceitável para Leibniz, e serve para indicar um importante ponto de partida para as concepções leibnizianas sobre os seres neste mundo.

Como já foi visto, há muitas motivações de ordem teológica que impulsionaram as formulações filosóficas de Leibniz. Para termos uma ideia disso, uma das questões que motivaram as reflexões desse filósofo desde sua juventude foi o problema da

---

28. Sétima e Oitava lições.

29. SPINOZA, 2011, Segunda parte, p. 51-53.

transubstanciação, pois sempre pareceu problemática a ideia de que um pedaço de pão e um cálice de vinho se transformassem respectivamente no corpo e no sangue de Jesus Cristo no momento da consagração. Outra questão – e essa adentrou diversas fases do pensamento de Leibniz – diz respeito à origem do pecado, das más ações humanas que seriam passíveis de sanção divina, já que só haveria sentido para a condenação divina (e mesmo a salvação divina) se suas criaturas pudessem agir por si mesmas independentemente dos próprios atos divinos. Porém, ao se tomar Deus como uma causa última da realidade de tudo (tese defendida por Leibniz), seria difícil não considerá-lo responsável também pelos atos de todas as suas criaturas.

As posições de Leibniz sobre a noção de substância tomaram forma quando ele exatamente buscava tornar os seres responsáveis pelas suas ações independentemente de Deus, que apenas lhe forneceria existência. Leibniz ainda considerava que, caso fosse adotado o monismo espinosano, além de isso criar indistinção entre aquilo que o criador realiza e aquilo que elas realizam, isso ainda poderia torná-las uma espécie de acidente divino, já que nesse caso apenas Deus seria substância no sentido estrito, o único agente, ao passo que suas criaturas não passariam de emanações secundárias da sua figura de ser único.

O mundo deveria ser uma obra divina, mas que pudesse sustentar-se do ponto de vista de seus próprios fatos, uma vez que fosse criado. Leibniz passou a defender um plano repleto de seres, ou seja, sem que não houvesse qualquer tipo de vazio de ente, pois existir é ser ou, no mínimo, relacionar-se com algum ser, que nesse caso será referir-se a alguma substância.

Já no *Discurso de metafísica,* Leibniz apresentou sua primeira formulação sobre os infinitos seres. Nesse texto também houve ênfase na teoria da noção completa dos seres que, como foi mostrado de maneira muito geral, diz respeito também à máxima inteligibilidade do mundo. Tomando tal pensamento, todo fato tem uma razão, visto que tudo previamente já diz respeito a uma substância individual, a qual se caracteriza como individual exatamente por ter uma noção *sui generis*, totalmente fechada, composta com tudo aquilo que se passará com ela ao longo de sua existência. Assim, por ter uma noção completa e específica, uma substância individual não pode ter seu conceito compartilhado com outro ser, como se duas coisas pudessem ser idênticas, diferenciando-se apenas numericamente.

Mas, já foi introduzido que há variações nas concepções leibnizianas de substância, as quais são sintetizadas nas diferentes maneiras como ele se referiu a elas, com destaque para duas. Uma já foi mostrada, que é a substância individual. A outra, a noção de *mônada*, surgiu após uma longa reflexão de Leibniz sobre algumas lacunas que ele deixara nas suas reflexões na época do *Discurso de metafísica*, dentre as quais se destacam o problema da relação entre uma substância e o seu corpo físico e a própria questão da relação entre as substâncias[30].

Leibniz passou gradualmente a referir-se menos a sujeitos completos do que a átomos substanciais, que seriam as mônadas, que é um termo originário do grego para significar aquilo que não tem partes, que se revela como unidade em sentido absoluto[31]. Ele afirmou que sob a complexidade das coisas neste mundo deve haver unidades últimas absolutamente simples, indivisíveis e que se definem conforme suas próprias atividades. Isso o obrigava a pensá-las não a partir da ideia de átomos materiais, que ainda seriam divisíveis. Logo, também não poderiam basear-se na extensão ou mesmo a partir de uma figura (geométrica), pois tais padrões são divisíveis, o que se opõe a algo de natureza última e una. Uma figura pode ser dividida, assim como a extensão, pois ela também pode ser representada figurativamente. Isso é o que torna difícil entender a noção de mônada, pois elas não

---

30. FICHANT, 2000, p. 24-31.

31. LEIBNIZ, 2004, p. 153: "Princípios da natureza e da graça", § 1.

podem ser apreendidas por imagens, mas sim de uma maneira estritamente conceitual, o que também acarretará outras complicações para a compreensão da realidade.

Uma característica da mônada, que é a radicalização de algo já dito no período das substâncias individuais, é o fato de elas terem seus respectivos conceitos absolutamente fechados, sem que nada de exterior pudesse lhes invadir, alterar ou lhes influenciar de maneira direta. O único outro ser com o qual cada substância teria relação imediata seria Deus, visto que este seria a causa da realidade daquelas.

O autor da *Monadologia* deduz, entretanto, que é preciso haver algum critério para diferenciar a nova maneira de definir os seres, a fim de evitar o problema da identidade dos indiscerníveis, mas com o desafio de que isso não fosse a partir da noção de figura ou de extensão, que passariam pelo inconveniente da divisibilidade.

Logo no início do texto *Princípios da natureza e da graça*, seu autor diz que a mônada, uma substância, *"é um ser capaz de ação"*[32], ou seja, ela é definida primordialmente a partir do seu aspecto dinâmico. Leibniz ainda acrescenta que, se uma mônada supostamente interrompesse suas ações, ela

---

32. LEIBNIZ, 2004, p. 153. "Princípios da natureza e da graça", § 1.

também deixaria de existir. Resta, então, entender a fonte primordial de tais ações na esfera substancial.

A fonte de ação, que também é a via pela qual uma mônada tem acesso ao restante daquilo que se passa no mundo, é chamada por Leibniz de *percepção*, que fundamentaria a distinção entre as infinitas mônadas, afastando o risco da identidade dos indiscerníveis, em função desse aspecto ativo de cada ser. A percepção nesse caso se assemelha à noção de percepção sensível, aquela dada por meio dos nossos sentidos, pois também se trata de ser afetado de certa maneira por coisas exteriores, mas sendo que a própria substância é responsável pela formação das imagens que tem do mundo que a cerca. No caso dessa dimensão substancial, esse caso de percepção representa uma situação muito básica, sem que sejam imagens com o índice de elaboração de uma percepção sensível, o que já exige a presença do corpo orgânico[33].

Uma mônada nunca deixa de permanecer em estado perceptivo, de formar imagens referentes ao seu mundo e, ainda mais, de buscar novas percepções. Tal busca ou tendência para formar novas percepções é denominada pelo autor *apetição*[34]. O

---

33. Tema da Sétima lição.

34. LEIBNIZ, 2004, p. 133: "Monadologia", § 15, p. 153. • "Princípios da natureza e da graça", § 2.

movimento substancial ocorre exatamente pela reação constante das substâncias ao se manterem em estado perceptivo.

Todo ser criado, doravante mônada, segundo as concepções da filosofia madura de Leibniz, tem constantemente percepções e apetições. É possível que eles aprimorem essa atividade perceptiva, o que também leva a uma elevação do seu nível de ser. O primeiro passo para tal elevação se dá com o aprimoramento acompanhado da *memória*[35], que permite a uma mônada não mais limitar-se às suas percepções presentes, mas também à sua capacidade de guardar as imagens daquilo que foi percebido. Apenas uma parte dos seres alcança a posse da memória, que será importante para a formulação inicial de um tipo rudimentar de saber.

A elevação do nível de ser se deve, principalmente, a outro momento, dependente da memória, em que ao menos alguns passam a perceber suas próprias percepções ou o seu estado perceptivo, ou ainda, para simplificar, quando passam a entrar em um estado reflexivo, que é denominado *apercepção*[36]. Com a entrada dessa nova modalidade perceptiva é que surge a faculdade racional, limitada a apenas um conjunto de seres que não mais se

---

35. LEIBNIZ, 2004, p. 155: "Princípios da natureza e da graça", § 4.

36. Ibid.

restringem a perceber e ter apetições, permitindo a eles formarem pensamentos conceituais. Com a posse de tal capacidade reflexiva, continua Leibniz, haveria mais enriquecimento nas tendências dos seres doravante dotados de razão, pois eles também não mais se limitariam a agir conforme suas apetições, tendências simples, mas poderiam refletir sobre suas ações, o que faria com que fossem dotados de *vontade*.

Junto à ideia de mônada, Leibniz formulou uma grande gama de outros conceitos que lhe permitiram refletir melhor sobre os fatos referentes às infinitas substâncias, sobre suas ações, a respeito dos fundamentos desse mundo visível das nossas experiências e inclusive sobre a formação de nossas ideias e do nosso conhecimento. É exatamente sobre o tema do conhecimento que nos debruçaremos na sequência.

Sexta lição
O conhecimento

Na lição anterior, foram apresentados aspectos referentes à ontologia leibniziana que foram importantes para revelar a presença de certa diversidade na dimensão dos seres, conforme a maneira como cada grupo tem acesso ao que se passa no mundo. Alguns seres não passam de meros viventes, que apenas têm imagens presentes das coisas, tendendo constantemente a novas percepções a partir do processo apetitivo. Outros, em estágio mais elevado, teriam capacidade para guardar as imagens de vivências anteriores e projetá-las caso venham a passar por uma situação semelhante.

Vale reforçar que, conforme a estrutura metafísica de Leibniz, ele se vê obrigado a concluir que cada ser é, no limite, responsável pelas imagens que tem, mesmo no caso de seres que não têm apercepção, ou seja, que não refletem ou não têm consciência. Isso poderia gerar o questionamento acerca da validade da noção leibniziana de percepção, já que não parece haver sentido em levantar tal conceito caso não haja algum tipo de relação entre os seres. Em seus textos, Leibniz considera que existe tal relação, que nesta lição deveremos tomá-la sem ainda explicá-la[37]. Por enquanto, deve ser apenas assumido que toda substância forma imagens do mundo. É no grau de adequação da representação de tais imagens em relação a tal plano que está a chave para entender o tema do conhecimento para o filósofo, e isso depende da posição na qual cada substância se coloca.

Vimos ainda que há um grupo de seres não limitados às imagens referentes a algo que lhes é exterior. Destacaremos esse grupo de seres capazes de ter imagens mais ricas e fiéis não apenas ao mundo, como também a si mesmos, inclusive em relação à sua causa última, Deus. Continuamos a ressaltar a tese da máxima inteligibilidade do mundo defendida por Leibniz em função de sua posição em afirmar que nada é sem razão, pois tudo já se encontraria previamente no conceito dos seres. Nesta lição, é importante indicar como o autor compreende efetivamente a via pela qual os seres dotados de consciência e, portanto, de razão, podem efetivamente desenvolver conhecimento em sentido estrito, ou seja, conhecer a causa.

---

37. Tema da Sétima lição. Nela também será tratado da formação do corpo orgânico e, por conseguinte, da percepção sensível, estreitamente ligada a surgimento da memória.

Todavia, mesmo os seres dotados de apercepção não deixam de passar pelos níveis básicos de ser, ou seja, também são dotados de percepções e de memória[38]. Assim como o grupo que se limita à posse da memória, os membros da classe dos seres dotados de apercepção também passam por um nível básico de saber, pensava Leibniz. A memória permite a realização da projeção de situações semelhantes, o que entra na base da experiência ou do saber empírico, explicado por essa estrutura baseada na percepção e na memória.

Em uma passagem dos seus *Princípios da natureza e da graça*, Leibniz mostra como ocorre certo tipo de saber empírico baseado apenas na memória, gerando informações que dependeriam apenas da repetição de fatos:

> Existe uma ligação nas percepções dos animais que tem certa semelhança com a Razão; mas está fundada apenas na memória dos fatos ou efeitos e de modo algum no conhecimento das causas. Assim, um cão foge do bastão com o qual lhe bateram porque a memória lhe representa a dor que esse bastão lhe causou. E os homens, enquanto empíricos, isto é, nas três quartas partes de suas ações, só atuam como animais. Por exemplo, espera-se que amanhã raie o dia porque sempre se experi-

---

38. LEIBNIZ, 2004, p. 155: "Princípios da natureza e da graça", § 4.

> mentou assim: só um astrônomo prevê tal fenômeno segundo a razão; e mesmo esta previsão falhará, finalmente, quando a causa do dia, que não é eterna, cessar. Mas o raciocínio verdadeiro depende das verdades necessárias ou eternas, como são a da Lógica, a dos Números e a da Geometria, que tornam indubitável a conexão entre as ideias e infalíveis suas consequências. Os animais, nos quais não se notam essas consequências, são chamados bestas [...][39].

Nessa passagem é notável o pensamento do autor acerca do grau de inferioridade atribuído ao saber empírico em relação ao verdadeiro saber, o racional[40]. Quando alguém espera que amanhã raie o dia, acreditando que isso seja verdade, apenas porque isso fora presenciado até então, ele não se distinguiria tanto de um animal, pois se valeria apenas de sua memória, que lhe permitiu guardar a imagem de fatos vividos, que serviriam para projetar o futuro. Mas caso essa pessoa se valesse de razão, como um astrônomo, teria um conhecimento tipicamente humano. Isso coloca em campo,

---

39. Ibid., § 5.

40. A quem interessar, vale a pena conferir o tema do conhecimento em David Hume a partir das suas *Investigações sobre o entendimento humano*. Sugerimos outro título desta coleção, *10 lições sobre Hume*, cuja autoria é de Marconi Pequeno, com atenção especial à Décima lição.

pela perspectiva leibniziana, o uso da razão em relação aos fatos.

Entretanto, ele não repudia a experiência, mas, pelo contrário, reconhece sua importância. Antes de tudo, nenhuma substância criada poderá ter compreensão do mundo da mesma maneira que seu criador, Deus, pois há um espaço intransponível entre ela e esse ser perfeito[41]. Como também é possível notarmos, Leibniz considera que cada substância sempre terá algum acesso ao mundo que habita e à sua fonte, Deus, restando a ela ganhar maior clareza nessa capacidade representativa. Leibniz considera que cada substância representa a totalidade do mundo a que pertence, escolhido por uma causa racional, que ponderou sobre tudo aquilo referente à sua obra. A dificuldade em adquirir acesso claro ou adequado ao mundo se deve ao fato de que ele tem natureza infinita, o que faz com que os seus seres-componentes, não possuidores de entendimento perfeito, não possam abarcar tal infinitude, restando a elas as percepções confusas na maior parte dos casos. Leibniz pensa que toda substância é uma espécie de espelho do mundo, mas a qual não consegue notar com clareza essa sua posição refletora. Nesse ponto é que se destacam os seres dotados de apercepção, ou seja, de consciência, de reflexão,

---

41. LEIBNIZ, 2003.

de razão, que podem superar ao menos em parte ou por alguns instantes o estado de confusão.

Como foi mostrado a partir da última citação extraída dos *Princípios da natureza e da graça*, por exemplo, um astrônomo é capaz de explicar melhor a ocorrência de um fato astronômico do que alguém que se baseia em sua explicação apenas nos fatos que presenciou, como o nascer do sol por todas as manhãs até então. Desde a Antiguidade, os astrônomos são capazes de explicar o comportamento dos astros sem limitar-se a tais vivências, a partir de cálculos geométricos, ou seja, são capazes de valer-se de conceitos que permitem uma explicação causal. Logo, para Leibniz, a empiria pode mesmo ser uma fonte de saber, mas ela ainda não é legítima fonte de conhecimento, o qual depende de certos elementos que não dependem eles mesmos da experiência para surgir na esfera dos seres que apercebem, como no caso dos humanos.

Os seres racionais teriam, assim, a capacidade de ir para além da experiência para conhecer os fatos graças a certos conceitos ou mesmo princípios que sustentariam seus raciocínios. Não é difícil deduzir, conforme o pensamento de Leibniz, que se tais princípios não são dados pela experiência, eles são na verdade *inatos*[42]. Dentre tais princípios,

---

42. LEIBNIZ, 1999, p. 22-23.

que contribuem para o conhecimento, podem ser destacados os conceitos matemáticos, muito úteis para a ciência (lembrar o caso da astronomia), o princípio de não contradição, que revela aquilo que é absolutamente necessário, e o princípio de razão suficiente, que indica que mesmo os fatos que não se baseiam no princípio de não contradição também têm uma razão para ocorrer.

É importante levantar uma noção para compreendermos melhor o pensamento leibniziano sobre o conhecimento, a de *ideia*, pois, seguindo uma tendência dos seus contemporâneos, Leibniz a considerou, na esfera dos seres racionais, o principal conteúdo representativo para os seres[43]. Como afirma Yvon Belaval, a noção leibniziana de ideia diz respeito às afecções na alma que permitem a expressão das coisas[44]. Ao haver referência à expressão, podemos pensar em uma espécie de imagem de algo formado na mente da substância racional, mas essa noção de imagem não significa uma representação figurativa, como se fosse uma imagem pictórica, pois uma ideia não precisa caracterizar-se como tal tipo de representação. Por exemplo, as figuras geométricas podem ser representadas a partir de funções matemáticas, sem que essas sentenças

---

43. LEIBNIZ, 1974, p. 401-402: "O que é a ideia".

44. BELAVAL, 1962, p. 216-217.

no seu aspecto representativo formem ideias que sejam absolutamente idênticas às figuras que respectivamente expressam. O mais importante é que, nesse caso, elas sejam capazes de exprimir diversos pontos da figura, como no caso do famoso Teorema de Pitágoras, que representa o triângulo-retângulo.

Seria possível para todos os seres enriquecer o seu nível representativo em relação àquilo que se passa no mundo que integram, possibilitando a saída das ideias confusas, ou seja, com baixo índice de representatividade em relação àquilo que expressam. Os seres racionais, como não é difícil notar, teriam ainda maior capacidade representativa, podendo alcançar gradualmente maiores índices de adequação no que diz respeito às suas ideias[45].

Leibniz buscou mostrar como as substâncias criadas racionais são capazes de formular ideias que podem exprimir, de maneira cada vez mais precisa, aquilo que se busca representar, sejam figuras da geometria, sejam até mesmo objetos sensíveis. Mas é no caso destes que a dificuldade é maior, como já fora indicado desde o pensamento de Descartes. No caso de ideias matemáticas, tratam-se de noções abstratas, bastando conceitos absolutamente

---

45. Leibniz expressa isso em dois textos cuja análise extrapolaria a proposta deste texto de caráter introdutório, que são suas *Meditações sobre o conhecimento* (LEIBNIZ, 2003, p. 314-322) e uma seção do *Discurso de metafísica* (LEIBNIZ, 2004, p. 53-54, § XXIV).

inatos para conhecê-las, pensou Leibniz. Já no caso dos objetos sensíveis, trata-se de coisas exteriores à substância que busca entendê-los. Antes, como foi introduzido, é preciso passar pelo esforço de Leibniz para encontrar uma via de acesso da substância ao seu exterior, ao seu próprio corpo e aos objetos da sensibilidade. Apenas a partir de tal ligação é que terá sentido se Leibniz pensou uma tese da qual nunca mais abriu mão, expressada nesta passagem:

> [A] nossa alma tem sempre nela a qualidade de se representar qualquer natureza ou forma, seja qual for, quando surge a ocasião de pensar nela. E desde que expresse qualquer natureza, forma ou essência, acredito ser esta qualidade da nossa alma propriamente a ideia da coisa, existente em nós e sempre em nós, quer nela pensemos ou não. Porque nossa alma exprime Deus, o universo e todas as essências, assim como todas as existências. Isso concorda com os meus princípios, porque naturalmente nada penetra no nosso espírito vindo do exterior, e é mal hábito pensarmos como se a nossa alma recebesse algumas espécies mensageiras e tivesse portas e janelas[46].

Os seres racionais teriam, previamente a qualquer experiência, a estrutura para conhecer os prin-

---

46. LEIBNIZ, 2004, p. 56: "Discurso de metafísica", § XXVI.

cípios inatos, mas é preciso entender as coisas às quais eles têm acesso antes de gerarem conhecimento. Novamente, o grande problema é que esse acesso deveria ocorrer de tal maneira que seja respeitada a própria definição substancial, um ser que *"não tem janelas pelas quais algo possa entrar ou sair"*[47]. A via para tal resposta de Leibniz passa pela sua tese da harmonia preestabelecida.

---

47. LEIBNIZ, 2004, p. 136: "Monadologia", § 7.

Sétima lição

A realidade, a percepção sensível e a harmonia preestabelecida

Leibniz notava que nos deparamos com duas dimensões de investigação. Uma dimensão, por assim dizer, *profunda*, onde se daria o entendimento sobre os seres, que seriam as infinitas substâncias criadas. Nesse aspecto, Leibniz se filia aos grandes pensadores metafísicos, herdeiros do pensamento de Platão e de Aristóteles. Segundo autores dessa corrente defensora de uma dimensão profunda das coisas, para desvelá-la seria preciso não procurar a via sensível dos sentidos para atingi-la, mas antes "observá-la" graças ao "olhar da razão", ou seja, valer-nos da nossa reflexão para entendê-la. A outra dimensão, a das coisas que percebemos, nos é acessível mesmo quando não estamos usando o nosso intelecto, pois já viemos ao mundo com nossas percepções sensíveis, com os nossos sentidos, os quais também precisariam ter suas origens melhor esclarecidas.

Vimos a reflexão de Leibniz sobre o fundamento do mundo a partir das suas concepções de substância, tanto no tocante ao conceito de substância individual como o de mônada. Para ele, não percebemos sensivelmente as diversas substâncias por ele defendidas como a base da realidade, mas o que percebemos são as coisas diante de nós (cadeiras, mesas, computadores, livros etc.).

Por um lado, parece estranho defender que haja seres invisíveis para a sensibilidade, mas sendo eles próprios a fonte de realidade, e, por outro, que não haja a verdadeira realidade nas coisas que percebemos pelos órgãos dos sentidos. Essa posição acerca de duas dimensões tratadas pela filosofia de Leibniz deve ser tomada para mostrar como ele pensava haver um campo de difícil acesso, o metafísico, que toca suas reflexões mais complexas e abstratas, e outro que diz respeito ao plano dado pelas percepções, o plano da física, que é aquele a que temos acesso mais imediato.

De qualquer maneira, como conciliar, então, duas perspectivas referentes, no limite, a uma mesma coisa, uma profunda, dada exclusivamente para a compreensão da razão, e outra superficial, alcançada pelos nossos sentidos? Por mais que ele sustente haver substâncias, com atributos muito específicos, dados pela razão, que são indivisíveis, não deixamos de perceber coisas que se dividem, ou ainda mais, que podem se dividir ao infinito, pois toda matéria pode sofrer tal separação. As reflexões sobre a realidade por parte de Leibniz tinham também o objetivo de superar essa clássica questão filosófica, que ele chama de *labirinto do contínuo*. Em suma, como superar um mundo percebido com certa unidade espacial, mas que também pode ser dividido a ponto de perder a sua realidade, visto que sempre pode ter rompida a sua aparente uniformidade?

Nas suas reflexões sobre as substâncias, Leibniz notava o inconveniente em definir os objetos sensíveis, inclusive o nosso corpo próprio, que estão agrupados no plano espacial, em função do problema dessa possibilidade de divisão infinita, e por isso também negava um fundamento de cunho material. A alternativa de Leibniz foi recuperar a teoria das *formas substanciais*. Ao trazer novamente à tona essa tese de inspiração aristotélico-tomista, ao menos em parte, Leibniz chegou a pensar em atribuir certa unidade espacial aos seres a partir daquilo que era chamado *forma*, o que permitiria sustentar uma tese referente a certo hilemorfismo dos seres, ou aquilo que os definiria a partir de certa unidade, porém de maneira diferente em relação ao pensamento tradicional que identificava os seres a partir de uma determinação formal da matéria. Muito cedo, Leibniz já se distinguia de Aristóteles ao afastar a noção de matéria, em função dos inconvenientes por ela ocasionados, como já vimos.

Com esse pensamento, Leibniz começava a delinear sua teoria da harmonia preestabelecida referente ao paralelismo a respeito daquilo que se passa no fundamento metafísico, portanto, o real das coisas segundo sua ótica, e aquilo que é dado pela nossa sensibilidade. Aquilo que enxergamos nas coisas seriam as formas substanciais que realizariam sua unificação e sua coerência. Aquilo que se passaria na dimensão visível seria um reflexo da região profunda, metafísica.

Todavia, como foi apresentado na lição referente às suas reflexões sobre as substâncias[48], Leibniz não tardou em notar certos limites para a definição dos seres a partir das formas substanciais. Ele teria sido de certa maneira obrigado a afastar alguns aspectos dos dados sensíveis ao moldar o seu conceito de mônada, os quais em parte ainda o auxiliavam quando ele permanecia na mesma linha aristotélico-tomista de entendimento sobre os seres do mundo.

Ao elaborar gradualmente sua teoria das mônadas, Leibniz chegou aos seus legítimos átomos substanciais. Assim, os seres não mais foram definidos principalmente a partir de sua forma, como

---

48. Quinta lição.

no caso de uma pessoa, que antes poderia ser considerada um ser porque apresenta uma forma de ser humano. É claro que, assim como Aristóteles, ao invocar a Teoria das formas substanciais, Leibniz não buscava definir os seres em função de um formato (espacial), pois antes a tese das formas diz respeito àquilo que era chamado de essência e àquilo que era entendido como alma (*anima*)[49]. Mas a forma, apesar da complexidade de sua definição, ainda se baseava de certa maneira na noção de figura, algo que Leibniz afastaria por completo na sua apresentação da noção de mônada.

Como a realidade de um ser e, portanto, sua unidade não eram mais alicerçadas de maneira alguma no seu aspecto superficial, tal fundamento passou a ser-lhe interior de maneira absoluta. Aquilo que percebemos pela sensibilidade, como já foi visto, não poderia ser base da realidade, visto que é de caráter geométrico, espacial, infinitamente divisível. De algum modo, porém, isso que é percebido nessa superfície apresenta certa coerência e até mesmo certa racionalidade; tanto que permite ser abarcado pela ciência. Logo, isso não impede que possamos conhecer a dimensão física pela razão, como é visível pela existência de uma disciplina

---

49. Para se ter uma noção disso, recomendamos o texto em que Aristóteles diferencia forma em relação a formato. Cf. ARISTÓTELES, 2010, p. 40-41, 640b30-641a16.

para tal tema, a própria ciência física, a antiga filosofia da natureza[50]. Mas como surgiria de fato esse mundo visível para nossos sentidos, conforme a filosofia de Leibniz? É preciso passarmos novamente para os alicerces da ontologia leibniziana.

Temos, a partir da Teoria das mônadas, seres absolutamente indivisíveis – por isso, não espacialmente definidos –, distinguidos a partir das suas ações, que lhes são específicas, mas as quais se *harmonizam* com as das outras substâncias vizinhas, visto que uma mônada não recebe uma ação a partir de algo que lhe seja exterior, nunca sendo de fato passiva. A comunicação entre os seres ocorre porque aquele que é causa e arquiteto do mundo identifica as atividades de todos os seres ajustadas entre si. Assim, a famosa teoria leibniziana da *harmonia preestabelecida* tem sua fonte já na metafísica, na correspondência entre todas as ações de todos os seres que integram o mundo. Em suma, a origem da harmonia entre os seres se daria porque Deus traria ao mundo as diversas substâncias que integram tal plano, sem que uma interferisse na individualidade de outra, mas que antes tivessem suas respectivas noções ajustadas entre si.

Leibniz ainda acrescentou curiosamente que o fato de uma substância sofrer a ação de outra, isso

---

50. Tema da Oitava lição.

na verdade ocorreria apenas em aparência (o que é fundamental ter em mente para entender o que virá na sequência), pois na verdade, continua ele, é dito que uma substância é ativa ou passiva conforme o seu grau de adequação perceptiva. Devemos lembrar que as atividades perceptivas das substâncias se ajustam entre si, como se tivessem um encontro previamente marcado. Logo, se uma substância é dita agir sobre outra, isso quer dizer que ela tem maior grau de adequação perceptiva em relação àquela que é tomada como passiva nessa relação virtual[51].

Restaria ainda entender como Leibniz considerou resolver o problema da diferença entre a região metafísica e a região dos dados sensíveis e como uma fundamentaria a outra. Surgiria, assim, a outra face da harmonia, ou melhor, a harmonia presente em meio às ações dos seres tem consequências para o mundo percebido. Tal relação harmônica é derivada de um tipo de acordo entre as diversas substâncias. Para além daquilo que percebemos, Leibniz entende que há uma infinidade de seres que sustentam aquilo que há, tanto os objetos, aglomerados de seres, quanto aquilo que é composto de seres de maneira organizada, na forma de corpos orgânicos. O corpo representa certa unidade de seres que se harmonizam para formá-lo, para o qual

---

51. LEIBNIZ, 2004, p. 140: "Monadologia", § 49.

há uma substância central, que se destaca em relação às outras, um tipo de mônada dominante[52].

A partir da composição dos corpos orgânicos surgiria a capacidade para o ajuste das percepções de todas as mônadas que o integram para o surgimento das percepções sensíveis. Em meio ao corpo orgânico, haveria uma substância central, que se destacaria entre as outras, "agindo sobre elas" (não fisicamente), em função do seu nível de adequação perceptiva. No caso, cada substância que integra um corpo o expressa, por assim dizer, de maneira mais próxima do que expressa o restante do mundo; por isso parece destacar-se de tal plano ao contribuir na delineação do corpo orgânico ou autômato natural, que Leibniz diz ser diferente de uma máquina convencional, pois na verdade cada substância já seria uma espécie de máquina por si[53]. E a partir de tal corpo se formariam os órgãos dos sentidos, que fundamentam a percepção sensível. Segundo Leibniz:

> [Q]uando a mônada tem órgãos tão ajustados que graças a eles ganham relevo e distinção as impressões que eles recebem e, por conseguinte, também as percepções que os representam (como, por exemplo, quando, mediante a configuração dos hu-

---

52. Ibid., p. 140, § 49-52.

53. Ibid., p. 143, § 64.

mores dos olhos, os raios da luz se concentram e atuam com maior força), então se pode chegar até o *sentimento*, quer dizer, até uma percepção acompanhada de *memória*, isto é, uma percepção cujo eco perdura durante muito tempo, fazendo-se ouvir na ocasião apropriada; tal vivente é chamado *animal* e sua mônada é chamada *alma*[54].

Vale observar que diferentemente de como fora escrito na época do *Discurso de metafísica*, a noção de *alma* ainda não estava bem-alicerçada, pois faltavam exatamente os átomos substanciais para sustentá-la. Doravante, surgia o animal enquanto um conjunto bem-ajustado de mônadas, que se harmonizariam na sua composição, inclusive formando os órgãos dos sentidos, de tal modo que as percepções de cada uma dessas substâncias também se ajustariam, gerando as percepções sensíveis.

Dada a noção de percepção, deve ser levada em consideração a noção de fenômeno, no sentido daquilo que aparece para um terceiro[55]. De maneira geral, esse plano visível é uma espécie de projeção que se dá à nossa sensibilidade. Quando percebemos sensivelmente as coisas no mundo, tomamo-las

---

54. LEIBNIZ, 2004, p. 155: "Princípios da natureza e da graça", § 4 (grifo do autor).

55. LEIBNIZ, 1961, vol. III, p. 623.

realmente como nos aparecem, mas não o que realmente são, pensa Leibniz. Isso não significa que ele considera o plano sensível como meramente ilusório. Novamente vemos junto a ele que o fundamento de tais realidades seria algo que não é de modalidade sensível, mas antes por algo identificado apenas pela nossa razão. Dessa forma, o que ele parece entender é que aquilo que é transmitido na forma de dados sensíveis é como a imagem opaca de percepções confusas oriundas das relações entre as substâncias, as quais se ligam para formar os objetos e os corpos orgânicos, além de permitirem a identificação dos fatos que se passam neste mundo, que é pleno de ser. Por isso, Leibniz se deu conta de que os seres é que estariam na base das imagens sensíveis, apesar de nos depararmos principalmente com tais imagens, e não o seu fundamento. Isso seria em parte o problema da tese das formas substanciais, que de certa maneira partia do caminho reverso, dos corpos ao fundamento substancial.

Para referir-se ao mero aglomerado de seres, responsáveis por uma percepção sensível a partir da somatória das percepções substanciais de todas as substâncias que compõem um corpo orgânico com seus órgãos, Leibniz invoca o exemplo das ondas do mar, que geram um grande som, confuso, mas que é composto pelos diversos seres que a causam[56]. Quando percebemos de maneira confusa, é como se tivéssemos à beira da praia, percebendo um grande ruído sem saber a causa. Quando percebemos sensivelmente um corpo definido, como o de um animal, já notamos certo estado organizado de coisas, onde presenciamos uma relação mais harmônica entre as substâncias que compõem tal corpo (com sua alma), a partir da presença de uma substância que se destaca, a mônada central. Mas para atingirmos o ponto último da realidade, a região das substâncias com suas definições próprias, isso não poderá ser feito pelos órgãos dos sentidos, mas pela razão, que também nos obrigaria a concluir que as experiências anteriores são apenas uma reação a algo de origem superficial. Isso mostra em linhas gerais a via que Leibniz trilhou para explicar a fonte dos dados sensíveis a fim de que fosse superada a confusão gerada pelo infinito que subjaz àquilo que percebemos pelos órgãos dos sentidos.

Leibniz, no entanto, ainda tinha outro problema complicadíssimo para encontrar uma possível solução. Vimos Leibniz buscando, à luz da sua metafísica, entender o fundamento daquilo que é dado pelos nossos sentidos, os corpos físicos. Daqui para frente, buscaremos compreender à luz da sua filosofia como ele pensava o comportamento desses mesmos corpos.

---

56. LEIBNIZ, 2004, p. 160: "Princípios da natureza e da graça", § 13.

Oitava lição

A dinâmica de Leibniz

Leibniz foi um pensador moderno de certo modo atípico, pois ele não aderiu integralmente à corrente predominante do seu tempo em relação à maneira de se pensar a filosofia e a ciência. Para alguém com o perfil de Leibniz, ao se tratar de sua doutrina, não se pode deixar de apresentar, mesmo que de maneira muito resumida, algumas linhas sobre sua física e sua perspectiva filosófica, pois elas estão estreitamente ligadas e parecem influenciar-se mutuamente ao longo de suas reflexões.

Como foi dito, os filósofos modernos mais relevantes são herdeiros do pensamento científico renascentista, cujo ponto alto foi a Revolução Científica, que surgiu como uma reação aos preceitos aristotélico-tomistas. A noção de física aristotélica, ou seja, sua noção de natureza (*physis*) se baseava principalmente na relação forma (*eidos*) e matéria (*hylé*), em que o comportamento das coisas, seu movimento e desenvolvimento, ocorreria basicamente em função do jogo de definição e de indefinição da matéria segundo a forma. Surgia, assim, a noção de formas substanciais, que definiam os diversos entes do mundo. Por isso, *grosso modo*, a física de inspiração aristotélica era considerada de cunho qualitativo, em que os movimentos ocorreriam em função de certo desfecho, o cumprimento integral das formas, que incluiria o fim dos deslocamentos e dos desenvolvimentos das coisas.

Já a física advinda com a Renascença abstraía as relações espaciais e de movimento de tal modo que fossem reduzidas a conceitos matemáticos, resultando na física atual, que costumamos ver na escola, principalmente ao recebermos lições de física mecânica. De fato, para muitos modernos, sobretudo para os herdeiros de Galileu e Descartes, o mundo passou a ser entendido como um grande mecanismo, com coisas imprimindo movimento sobre outras ou interferindo no movimento das outras. Tal tipo de movimento permitiria ser expresso de maneira matemática. Assim, a partir da ótica de autores como esses, não mais seria priorizada a realização de formas nas coisas, a partir de movimentos de origem teleológica, mas haveria sempre uma causa prévia que imprimiria certo movimento ou interferiria nesse, ou seja, gerando algum efeito. Por isso, também de modo resumido, a oposição entre o pensamento físico tradicional e o pensamento físico moderno é representada pela oposição entre causalidade final e a causalidade eficiente.

Percebemos que se trata de duas concepções distintas de mundo, uma em que cada coisa é tomada em sua particularidade, conforme a forma e o fim a ela inerente, e outra em que tudo é tomado de maneira abstraída, matematicamente reduzida. Descartes foi um dos autores fundamentais para consolidar essa redução das coisas de tal maneira a serem entendidas pela via matemática ao limitar o plano sensível à extensão, conforme suas conclusões nas suas *Meditações metafísicas*. Tal redução permitiu entender as coisas a partir de suas dimensões matematicamente mensuráveis em oposição a algo que seria considerado uma espécie de causa oculta, caso ainda fosse mantida a noção de forma substancial, liga à de causa final. Esses conceitos da tradição antiga pareciam, então, pouco elucidativos para os movimentos nesse plano das nossas experiências.

Vimos que Leibniz, em sua juventude, foi adepto do estilo tipicamente moderno de pensar a filosofia da natureza. Entretanto, ele não demorou em expressar suas insatisfações a respeito do tipo de pensamento predominante entre os seus contemporâneos, principalmente os adeptos do cartesianismo. Leibniz não considerava suficiente a redução matemática dos fatos do mundo para entendê-los, pois isso não explicaria de modo satisfatório a causa dos movimentos na natureza. Lembramos que Leibniz tinha o espírito conciliador, buscando aliar correntes filosóficas aparentemente diversas. Foi por essa sua atitude em defender que seria possível (e também preciso) recuperar parte daquilo que fora negado para haver uma explicação satisfatória daquilo que se passa no plano das coisas.

Leibniz concordava que, em parte, as teses levantadas para defender o fundamento extenso da realidade visível poderiam ser conservadas. Ele considerava que realmente seria possível explicar os movimentos da natureza de maneira particular a partir de elementos referentes à extensão, como figura, tamanho, massa, entre outros aspectos mensuráveis.

Entretanto, Leibniz considera que o modelo explicativo, fundamentado na extensão, seria limitado para uma explicação mais adequada à natureza das coisas. Não temos condições de nos aprofundarmos em argumentos mais técnicos das teses físicas modernas e de Leibniz para apontar de maneira mais precisa o fundamento da crítica leibniziana aos seus contemporâneos. Informamos que isso é exposto no *Specimem Dynamicum*[57] e de maneira resumida no *Discurso de metafísica*[58]. Segundo Leibniz, as perspectivas mecanicistas e extensionistas seriam suficientes para constatar o movimento, mas

---

57. LEIBNIZ, 1989, p. 117-138: "A Specimem of Dynamics".

58. LEIBNIZ, 2004, p. 36-40: "Discurso de metafísica", § XVII-XVIII.

não para explicar sua causa e manutenção no mundo. Essa importantíssima questão se relaciona com outra talvez ainda mais importante, que diz respeito a como a alma poderia ter influência sobre o movimento do corpo (físico) no que diz respeito ao seu movimento.

Para a maioria dos outros pensadores modernos, principalmente os que vieram na esteira de Galileu e de Descartes, a natureza seria uma espécie de grande máquina, em que coisas empurrariam outras ou ao menos mudariam a direção do movimento umas das outras. Com essa cofiguração de mundo, foi aberto espaço para a tomada da linguagem matemática como ferramenta da compreensão das coisas. Porém, para Leibniz, ainda ficava em aberto a explicação acerca da origem do próprio movimento.

Sem tal entendimento ou sem uma compreensão adequada disso, Leibniz entendeu que surgiram soluções pouco satisfatórias, sendo uma de suas expressões o ocasionalismo, cujo expoente foi Malebranche. Conforme essa doutrina, o movimento das coisas se daria por uma ação constante de Deus no mundo, visto que este não poderia por si mesmo ter a causa das mudanças. E no caso de duas modalidades distintas de substâncias, a pensante e a extensa, a fim de que uma pudesse ter influência sobre a outra, conforme parecemos experimentar por nós mesmo no caso do movimento do nosso corpo, seria Deus a deslocar o corpo ou parte deste conforme a intenção da substância pensante.

Leibniz entende que uma tese como o ocasionalismo propiciaria diversos inconvenientes, a começar pelo pressuposto da extensão, visto que esta seria dividida ao infinito, o que significa que não poderia de fato ser uma substância, um ser em sentido estrito. O outro inconveniente seria sediar origem e conservação do movimento exclusivamente em Deus, o que traria problemas na perspectiva teológica, com a qual vimos que Leibniz tinha grande compromisso por causa do seu projeto de tolerância e de pacificação. Se Deus fosse o único de fato a agir, ele também seria causa das más ações. Outras consequências ruins poderiam surgir a partir do suposto caráter substancial da extensão, como no caso da transubstanciação, o caso da transformação do pedaço de pão no corpo de Jesus Cristo no momento da consagração, pois a aparência de tal objeto, enquanto algo extenso, não se alteraria.

Com essa pequena amostra de pontos críticos identificados por Leibniz em relação ao pensamento de sua época é que ele defendeu que seríamos também obrigados a nos deslocar da superfície extensa das coisas e ir em direção à metafísica, onde nos depararíamos com pensamentos em parte já presentes na filosofia tradicional. E isso teve grande impacto nas suas reflexões sobre a física. Assim, em suma, se o movimento das coisas no mundo, da nossa experiência sensível, permite ser entendido por meio de mensurações, sua causa não parece se dar a tal linguagem de pensamento. Isso nos permite passar ao menos de sobrevoo sobre sua *dinâmica*.

Para Leibniz, o movimento e os dados sensíveis, ligados aos fenômenos, dever-nos-iam levar para além de tal superfície. Como vimos em relação à realidade das coisas, do seu ser, a fim de que não se esvanecessem numa divisibilidade infinita, à qual está sujeita a extensão, Leibniz desenvolveu suas teses metafísicas, inspiradas, principalmente na sua origem, pelo pensamento aristotélico-escolástico. Leibniz sempre tendeu a compreender os diversos seres do mundo como entes que agem conforme suas percepções, que baseiam as tendências, o direcionamento para novas percepções, as apetições, para as quais ele atribuía a prioridade do modelo causal final ao invés de seguir a corrente predominante dos filósofos modernos em priorizar a causalidade eficiente, com coisas influenciando o movimento das outras a partir da interferência constante de Deus. Logo, toda criatura teria sua tendência que lhe seria absolutamente própria.

Leibniz defendia que Deus criou o mundo, ou melhor, autorizou que o mundo completo com todos os seres integrantes de tal plano ganhassem realidade com as suas respectivas ações que fariam por si mesmos. Conforme esse pensamento, a capacidade que cada criatura teria para agir seria uma espécie de *conatus*, ou seja, ao movimento vital constante de uma substância enquanto um ser existente[59]. Assim, apesar de falarmos em capacidade, isso não significa que se trata de uma mera potência (*dunamis*), mas de um processo de ação constantemente atualizado intrínseco a cada substância. Esse movimento vital fundamentaria aquilo que Leibniz entende por *força* na dimensão substancial, mas que teria reflexo nos movimentos que se dão na dimensão fenomênica, identificados pela nossa sensibilidade e experiência.

Para entendermos o comportamento dos corpos físicos, que são conjuntos de substâncias com diferentes índices de organização de tais seres, isso depende do princípio interno de ação destes. A força, oriunda do movimento das substâncias, se manteria, do ponto de vista quantitativo, constante no mundo. Assim, mesmo os corpos que nos apareçam em repouso são, na verdade, compostos de seres que nunca interromperiam sua atividade, visto que a interrupção de suas ações significaria sua extinção, o fim da sua existência. A dificuldade para entender as atividades dos seres mesmo quando algo aparece sem movimento diante de nós ocorre novamente pela via que Leibniz nos indica para entender isso,

---

59. Esse termo costuma ser mais conhecido a partir da filosofia de Espinosa.

que não seria pelos sentidos, mas pela razão. Assumido isso, o movimento fundamental das coisas, em que está a força, não é da ordem espaçotemporal, mas metafísico, que indica que há seres que se movem tendendo constantemente para fins.

Novamente seria a partir desse modelo substancial que o filósofo entendeu que deveríamos buscar os alicerces do movimento, cuja manifestação física surge para nossa sensibilidade. Dessa maneira, pode haver um mundo visível, das leis físicas, mas fundamentado num mundo invisível para os olhos e notado apenas pela razão.

> [A] força é algo diferente da grandeza, da figura e do movimento, e por aí se pode julgar não consistir apenas na extensão e suas modificações tudo o que se concebe no corpo, como se persuadem os nossos modernos. Assim, fomos obrigados a restaurar alguns entes ou formas por eles banidos. E parece cada vez mais (embora possam explicar-se matemática ou mecanicamente todos os fenômenos particulares da natureza por quem os entenda) que, pelo menos, os princípios gerais da natureza corpórea e da própria mecânica são muito mais metafísicos do que geométricos e pertencem, sobretudo, a algumas formas ou naturezas indivisíveis, como causas das aparências, mais do que à massa corpórea ou extensa[60].

---

60. LEIBNIZ, 2004, p. 39-40: "Discurso de metafísica", § XVIII.

A tomada de certas noções metafísicas teve outras consequências para o pensamento físico de Leibniz, com destaque para aquela que o opõe à física newtoniana, a saber, a recusa da ideia de espaço e tempo absolutos. Resumindo, conforme essa concepção, o espaço é como um plano independente em relação às coisas por nós percebidas. Ambos formariam uma espécie de cenário, de certo modo independente, onde ocorrem os fatos da natureza. Isso permitiria locais com ausência de coisas, como o vácuo.

Conforme a metafísica de Leibniz, o mundo é a totalidade dos seres que o integram[61], e há espaço e tempo exatamente porque há a totalidade dos seres que o integram, sem que aqueles independam destes. Tomada essa posição leibniziana, seria impossível a noção de vácuo. Segundo a filosofia de Leibniz, um lugar que existisse sem substância, sem ser, seria um contrassenso[62]. Essa controvérsia é tratada na correspondência trocada

---

61. "Na natureza tudo é pleno" (LEIBNIZ, 2004, p. 154: "Princípios da natureza e da graça", § 3).

62. Ademais, espaço e tempo absolutos, além da ideia de certo vazio, que poderia significar o vácuo, poderiam levar a certa homogeneidade em relação ao estado das coisas, o que colocaria em risco o princípio de razão suficiente. Todo mundo possível deve ser absolutamente completo. O vácuo ou a ausência de ser poderiam fazer com que dois planos fossem completos e não se diferenciassem entre si, não permitindo revelar um critério para a escolha divina, já que poderiam ser indiscerníveis.

entre Leibniz e Samuel Clarke, um discípulo de Newton, e marca um dos últimos capítulos da vida intelectual de Leibniz[63].

Portanto, a dimensão física se harmoniza com a dimensão metafísica, inclusive em relação ao movimento. É também possível concluir que o corpo, uma espécie de fenômeno bem fundado, se harmoniza com a dimensão substancial, que pode referir-se à alma. A ideia de harmonia pode dizer respeito, sobretudo, à dimensão substancial e, por conseguinte, à relação entre alma e corpo. Mas a harmonia é um termo utilizado em sentido mais amplo, pois diz respeito à metafísica e ao plano dos fenômenos, que reflete a harmonia entre a causalidade final e a causalidade eficiente. Leibniz, contudo, não parou por aí, visto que como ele mesmo documentou:

> A sabedoria infinita do Todo-poderoso, junta à sua imensa bondade, uma vez levado tudo em conta, fez com que Ele nada tivesse criado de melhor senão aquilo que criou. Portanto, tal sabedoria fez com que todas as coisas estejam em perfeita harmonia e contribuam em conjunto para o mais belo acordo, o das causas formais, as almas, com o das causas eficientes, os corpos; as causas eficientes ou naturais com as causas finais ou morais; o reino da graça com o reino da natureza[64].

---

63. LEIBNIZ, 1975, p. 403s.

64. LEIBNIZ, 1969, p. 433-434: "Vindicação da causa de Deus".

Logo, até mesmo a atividade divina ocorreria em termos de harmonia. Mas, antes de entender o comportamento divino, é preciso passar por outro grande desafio tomado por Leibniz, a saber, se é possível sustentar que as substâncias, com destaque para as racionais, são realmente responsáveis por suas ações de tal modo que esteja em seu poder contribuir com o mundo criado por Deus.

Nona lição
Liberdade e destino

O problema da difícil relação entre liberdade e determinação ou, em outros termos, entre livre-arbítrio e destino, é um tema clássico e, talvez, um dos mais intrigantes da filosofia. A noção que costumamos ter de liberdade diz respeito à indeterminação dos fatos que realizamos, devendo eles estarem vinculados somente às nossas decisões, sem um modo prévio para conhecê-los. O conhecimento anterior aos fatos, ou melhor, sua previsão, parece eliminar qualquer proposta de ação livre. Logo, ou há liberdade, eventos inicialmente indeterminados antes da decisão e da ação do agente, ou há determinação, eventos que ocorrerão com tal certeza que seria possível prevê-los antes de acontecerem. Leibniz, no entanto, entende que mesmo nesse assunto é possível conciliar tais posições aparentemente opostas.

Em uma filosofia de nítido contorno metafísico, como a de Leibniz, é buscado algo para além das supostas variações e mudanças, ou seja, procura-se aquilo que se caracteriza como ontologicamente estável, invariável. Segundo a filosofia leibniziana, a máxima racionalidade se expressaria a partir da ótica divina, a sede da razão. Graças ao ser absolutamente perfeito, que dentre seus atributos tem onisciência, Leibniz entende que tudo pode ser perfeitamente compreendido.

Recuperemos dois importantes conceitos para a filosofia leibniziana, o de noção completa de toda substância e o de mundo completo[65]. Começando por este, Leibniz entende que o mundo, para garantir sua suposta inteligibilidade, é algo plenamente acabado, ou seja, todos os fatos que o integram já se encontram presentes em sua noção. Tal plano é absolutamente compreensível, porque todos os seus componentes, as substâncias, também são seres dotados de noções absolutamente completas, sem nada em aberto.

O entendimento perfeito divino não compreenderia apenas aquilo que existe, mas também outros planos possíveis que poderiam estar no lugar do mundo escolhido pelo criador. A diferença é que tais planos não realizados permaneceriam apenas sediados na mente do Deus, que tudo pode fazer desde que seu objeto de escolha não seja contra-

---

65. Mesmo que ele se limite a usar o termo noção completa no período do *Discurso de metafísica*, Leibniz parece jamais negá-lo. FICHANT, 2000, p. 16.

ditório, já que mesmo o criador, pensa Leibniz, teria compromisso com a razão, ou melhor, tem sua mente como expressão da própria razão. Não seria coerente, por exemplo, considerar que Deus criasse ao mesmo tempo, integrando a mesma realidade, dois mundos em que os fatos de cada um fossem respectivamente opostos entre si ao mesmo tempo, pois seriam ações que se anulariam e, ao final, de fato ele nada criaria. Assim, temos novamente um panorama geral da tese leibniziana de que o mundo e todos os seres que o integram são absolutamente acabados, sendo completamente compreendidos por Deus, que de certa maneira também é espectador da verdade, e não seu criador, mas sem que isso interferisse no seu máximo poder.

Como foi dito, quando costumamos pensar em liberdade, referente aos atos humanos, pensamos na ação pautada na possibilidade de alternativas independentes de qualquer determinação prévia. Notamos que é comum considerar a liberdade como uma noção avessa às determinações. Ela exigiria o não definido, o previamente incausado, o indeterminado. À primeira vista, liberdade estaria ligada a uma situação oposta à de estabilidade exigida pela razão. Tomado isso, restaria apenas ao agente iniciar sua ação a partir dos motivos que lhe convenham. Outra maneira comum de se considerar uma ação livre se dá quando consideramos que ela pode ocorrer sem que nada a guie, como se pudéssemos agir por agir ou simplesmente porque queremos algo como tal.

É comum considerarmos que a liberdade esteja intrinsecamente ligada à contingência. A contingência, em princípio, carrega a noção de possibilidade, de alternativa, de poder acontecer ou não acontecer. Podemos opor à contingência aquilo que sempre deve ser da mesma maneira, que não pode mudar, que é invariável, que é causado, ou ainda aquilo que vimos chamando de determinado. Parece que, conforme o princípio da contingência, as ações livres não deveriam prender-se senão às atividades do seu agente, que deveria por si mesmo decidir aquilo que fará, ou seja, as suas ações futuras. Se tais fatos não devem estar presos a nada mais senão às decisões dos agentes, eles não devem receber interferências de fontes de ações exteriores a ele e, portanto, não devem ser previstos ou permitir um discurso que previamente defina aquilo que será feito.

Logo, se a filosofia de Leibniz se baseia no princípio de que nada é sem razão, é porque ela opera sobre o pressuposto de que tudo se exiba integralmente à razão. Isso por sua vez leva a uma noção de determinação integral de tudo o que existe no mundo, inclusive dos acontecimentos espaçotemporais, o que inclui os fatos futuros. Dessa maneira, tudo aquilo que se dará futuramente, assim como aquilo que vivenciamos em certo momento, também deveria exibir-se racionalmente, deveria permitir um discurso que o abarcasse com fidelidade, mesmo que tal previsão fosse permitida apenas a Deus, o único dotado de entendimento perfeito, como é indicado por Leibniz.

Podemos, então, delimitar com mais nitidez o dilema que direciona nossa investigação. Se tudo, se absolutamente tudo, for completamente inteligível, é porque está racionalmente cristalizado, inclusive os fatos futuros, os quais incluem as ações humanas. Se tais ações são racionalmente conhecidas, isso significa que elas seriam objeto de um entendimento perfeito. No contexto da filosofia leibinizana, as ações humanas seriam perfeitamente compreendidas pelo Criador, o qual refletiria sobre sua obra antes de exercer seu máximo poder de eleger algo com a realidade. Se os atos dos seres humanos são racionalmente conhecidos, é porque eles são dotados da fixidez exigida pela razão. Sendo assim, a suposta abertura de alternativas sem causa prévia exterior ao agente, base para a indeterminação, que normalmente é considerada fundamental para o conceito liberdade, estaria na verdade ausente, seria um mero equívoco. Isso criaria problemas para qualquer ação dos seres humanos do ponto de vista moral e ético, pois, dentre outras questões, eles poderiam ser isentos de responsabilidade sobre o que fizerem.

Se a noção de liberdade do senso comum parece exigir que não haja previsão dos fatos, a alternativa para Leibniz conseguir garantir o entendimento integral do mundo seria abdicar da ideia de liberdade. Porém, ele não segue essa opção, mas antes busca compatibilizar a presença de ações livres, que sirvam de base para a responsabilidade moral, com a completa inteligibilidade do mundo, que é expressa com a sentença que expressa o espírito de Leibniz: "tudo tem razão".

Uma coisa já é certa afirmarmos: Leibniz nunca abriu mão ou até mesmo priorizou a manutenção da máxima inteligibilidade do mundo, pois a indeterminação ou a liberdade de indiferença seriam absolutamente inconcebíveis segundo seu pensamento. Ele considerava que a determinação seria melhor opção em oposição ao irracional. Para ele a indiferença do sujeito perante suas alternativas para agir representariam um tipo de indeterminação, e isso jamais poderia definir aquilo que há de mais precioso no que diz respeito às ações humanas, que é a liberdade.

Na sua via conciliatória entre liberdade humana e determinação de todos os fatos, Leibniz faz referência à *natureza* dos agentes, ou melhor, às respectivas naturezas de todos os seres[66]. Todo ser teria uma natureza que lhe seria própria, que é preenchida pelas suas ações. Essa natureza se aproxima mais da noção aristotélica de natureza, que indica que todo ser tende a certo fim que lhe é próprio. A diferença é que na filosofia de Aristóteles, caso um ser esteja na esfera sublunar, ainda que ele nunca perca sua natureza, é possível que ele não realize efetivamente aquele fim que ele tem em potência (*dunamis*), que toca a busca pelo seu bem, mas correndo o risco de sofrer certas interferências em sua realização. No caso da filosofia leibniziana, todo ser realizará sua natureza, pois ela nunca é impedida por qualquer outra substância e se estende em suas atividades ao longo da sua existência.

Todo ser age em função de um fim ou conforme aquilo que lhe surge como melhor. No caso das criaturas, segundo aquilo que lhes parece melhor, visto que têm entendimento limitado no momento de julgar o que buscarão. Já no caso daquele que tem entendimento perfeito − Deus −, ele tem o privilégio de identificar a opção que é realmente o melhor, aquilo que lhe será integralmente benéfico. Assim, se revela a legítima noção de liberdade, que é fazer aquilo que é o melhor, sem que nada o force, ou seja, de maneira espontânea. Todavia, isso

---

66. LEIBNIZ, 2004, p. 16-17: "Discurso de metafísica", § VIII.

parece afastar ainda mais a possibilidade de as criaturas serem livres, pois além de não parecerem agir de maneira espontânea, por si, ainda não tendem a fazer o melhor. Leibniz entende que realmente é difícil para elas serem absolutamente livres, visto que elas não têm o privilégio do conhecimento perfeito, mas que elas ainda agem com certo índice de liberdade[67], ao menos o suficiente para responderem sobre aquilo que fazem, ou seja, elas devem ter livre-arbítrio, pois do contrário haveria aquele risco de o criador ser causa das más ações, um sério problema teológico.

O "César que atravessa o Rubicão em 49 a.C." o faz ou fará em certo momento, como podemos notar pelo fato histórico, visto que nos resta presenciar o fato para finalmente conhecê-lo[68]. É preciso acrescentar que enquanto criaturas, mesmo que racionais e com a inteligibilidade integral do mundo, nunca atingiremos o perfeito conhecimento dos eventos desse plano, por causa de uma distância instransponível em relação a Deus, que é único. Assim como nesse caso, todos os outros eventos relacionados a César estão previamente no conceito desse indivíduo e já são objetos do entendimento divino, pensa Leibniz. Eles estão presentes no conceito de César.

---

67. Ibid., p. 26s., § XIII.

68. Ibid., p. 26-27, § XIII.

Leibniz acrescenta que se há certa determinação dos fatos, sem que isso elimine a liberdade humana, ele também entende que a mera indeterminação não seria suficiente para defini-la.

> Digo, portanto, que a liberdade de querer tudo aquilo que gostaríamos de querer é algo impossível, pois se isso fosse possível, seria algo que iria ao infinito. Por exemplo, se alguém me perguntasse por que quero uma coisa, e se eu respondesse "porque eu quero querer", ele poderia ter a mesma razão para me perguntar a razão desse segundo querer. E se e recorresse sempre a uma nova vontade para querer, a coisa não teria fim, e seria preciso infinitas vontades de querer precedendo a vontade de agir ou, então, nós deveríamos finalmente atingir uma razão do querer, que não seja tomada a partir da vontade, mas do entendimento, visto que não queremos porque queremos querer, mas porque nossa natureza é a de querer aquilo que cremos ser o melhor. E tal crença não é oriunda da nossa vontade, mas da natureza das coisas ou do nosso estado de nossa mente (*esprit*). Tudo aquilo que podemos fazer sobre isso é servir-nos de todos os meios convenientes para pensar bem, a fim de que as coisas nos apareçam, sobretudo, conforme sua natureza do que de acordo com nossos prejuízos[69].

---

69. LEIBNIZ, 1950, série VI, vol. 6, p. 1.406-1.409: "Du franc arbitre".

Ele ainda acrescenta que todas as substâncias criadas não devem cruzar os braços esperando que seu destino aconteça, colocando em cena aquilo que era conhecido como razão preguiçosa (*logos argos*)[70], pois de certa maneira elas já seriam senhoras do seu futuro, antes mesmo de serem criadas. Elas não poderiam culpar o seu destino, pois elas seriam a causa desse, conforme suas respectivas naturezas[71]. Assim, Deus apenas enxergaria aquilo que cada criatura fará caso venha a existir, mas a responsabilidade pela própria ação caberia a cada ser criado, que espontaneamente realiza aquilo que já está no seu conceito, conforme sua natureza, que se baseia na busca por aquilo que cada criatura considera ser o melhor a ser feito, mesmo que ela não saiba em absoluto aquilo que seria o melhor a fazer[72]. Mas Leibniz também entende que seria responsabilidade dela esforçar-se para entender aquilo que seria melhor para ela. Mesmo esse fato já deveria estar no conceito, antes de ela existir, pois ela poderia agir diferentemente se assim o quisesse, já na dimensão da criação, que de fato é a que interessa para entender o conceito de uma

---

70. LEIBNIZ,1969, p. 30: "Essais de théodicée". Préface.

71. LEIBNIZ, 2004, p. 25-28: "Discurso de metafísica", § XIII.

72. Ibid., p. 63-65, § XXX.

substância[73], ao passo que aquilo que se passa neste mundo seria como a execução de uma música cuja partitura fora escrita pelos seus músicos numa outra dimensão, fora deste tempo e espaço onde ela será finalmente executada.

---

73. SANTOS, 1998, p. 120-121.

Décima lição

Otimismo, progresso e críticas a Leibniz

Leibniz também é reconhecido como um filósofo otimista pelo fato de apresentar escritos com uma perspectiva, por assim dizer, positiva acerca do destino do mundo e da humanidade, talvez mesmo da história desta. Este plano em que vivemos seria uma obra divina e, portanto, apresentaria marcas do seu criador. Logo no início, vimos que Leibniz considerava que haveria diversos indícios para revelar a máxima racionalidade do mundo e, por uma espécie de caminho reverso, que a causa de tal plano seria perfeitamente racional, fazendo com que, por exemplo, o comportamento dos objetos e o dos seus seres fossem plenamente inteligíveis a partir de certa ordem harmônica, propiciando o plano mais rico em termos de efeito, uma espécie de resultado do cálculo de máximo e de mínimo divino. Logo, o mundo refletiria a obra do mais perfeito dos arquitetos.

Toda criatura que passasse a não mais se limitar às suas percepções simples poderia ser um melhor espelho da máxima ordem que se instauraria no mundo, o qual Leibniz também diz ser a mais bela obra que poderia ser criada. Notamos que esse autor é adepto de uma noção estética tradicional, baseada em certo equilíbrio e proporções. Leibniz valeu-se da analogia com a música, que permitiria ilustrar a beleza da proporção:

> A música nos encanta, ainda que sua beleza só consista nas relações dos números e cálculo de que não nos apercebemos, e que a alma não deixa de realizar, das batidas ou vibrações dos corpos sonoros que se produzem segundo intervalos regulares. Os prazeres que a visão encontra nas proporções são da mesma natureza; e os causados pelos demais sentidos vêm a ser algo semelhante, ainda que não possamos explicá-lo com tanta distinção[74].

Esse filósofo pensava que vivemos em um plano absolutamente equilibrado, mesmo que não possamos identificar com absoluta precisão a grande razão que subjaz ao mundo, em função do limite de nossa capacidade para conhecer. A mera percepção ou uma reflexão mínima já seria suficiente para fornecer amostras da grande ordem instaurada pelo grande arquiteto do mundo.

Leibniz não pensava, entretanto, que devêssemos acompanhar esse mundo harmonioso que ha-

---

74. LEIBNIZ, 2004, p. 162: "Princípios da natureza e da graça", § 17.

bitamos de maneira passiva, que segundo ele seria uma atitude dos estoicos[75]. Apesar de defender a máxima racionalidade do mundo, vimos que Leibniz se esforçou para provar que todos os seres se definem graças às suas ações e que alguns deles ainda seriam livres, por causa de um controle maior e mais consciente sobre suas ações, que também realizariam espontaneamente conforme a sua visão mais aprimorada sobre o mundo. Antes, principalmente esses seres ou substâncias capazes de agir de maneira julgada deveriam exatamente tomar sua razão como orientadora de suas ações. O ato julgado permitiria aos seres racionais agir da melhor maneira possível em cada situação ao invés de buscarem apenas o bem aparente.

Nos textos do autor da *Teodiceia*, procurar o verdadeiro bem, o agir bem, e não o bem aparente, significa imitar o criador do mundo, Deus. O ser perfeito não seria apenas um excelente arquiteto do melhor dos mundos, mas também seria aquele que realiza as melhores escolhas, como é ilustrado na sua opção pelo plano mais rico que poderia criar. Isso faria com que Deus fosse a melhor expressão moral de como os seres devem agir, o que o coloca também no topo não apenas do ponto de vista ontológico, como também moral, fazendo com que Ele

---

75. Ibid., p. 163, § 18.

seja o legítimo soberano. Quando as criaturas, em suas escolhas, seguissem o modelo divino, optando por aquilo que lhes parece melhor de maneira julgada, em detrimento daquilo que lhes pode prejudicar, elas se comportariam de maneira semelhante à causa última de sua realidade, o que lhes propiciaria a possibilidade de entrar em um tipo de sociedade com Deus.

Em seus textos, Leibniz aponta que o mundo criado por Deus é o melhor pelo fato de ser aquele que associa o máximo de efeito a partir das regras mais simples. Por isso, foi invocada a imagem matemática do cálculo do máximo e do mínimo. Isso revelaria um plano completamente rico em efeitos e harmonioso. Para tal face da harmonia, pensava Leibniz, ainda contribuiria uma grande noção de justiça sobre o mundo, em que nenhum tipo de mal deixasse de ser compensado[76].

O tema do mal em Leibniz é outro assunto de grande complexidade, pois também mobilizou diversas reflexões suas, cuja principal obra foi sua *Teodiceia*. Para ele, o mal se apresentaria basicamente em três modalidades: *metafísico, físico* e *moral*. O mal metafísico representa de maneira mais geral a imperfeição que se insere nas partes do mundo, ou seja, nas substâncias criadas, que são

---

76. Ibid., p. 161, § 15.

essencialmente limitadas do ponto de vista ontológico[77]. Elas se distinguem do seu criador, esse sim perfeito, o qual permite que elas venham ao mundo como já se apresentam em sua mente.

De certa maneira, a imperfeição ou o mal metafísico é causa dos males na modalidade física e na modalidade moral. É importante começar por esta segunda. Como as criaturas, mesmo as racionais, costumam se dirigir para um bem apenas aparente, ao contrário de Deus, que sempre faz o melhor, elas revelam sua imperfeição moral. Já o mal físico nomearia diversos fenômenos nessa nossa dimensão sensível, como os desconfortos e as dores nos corpos orgânicos.

Leibniz defendia que, em função do limite essencial das criaturas, Deus não seria a causa positiva do mal, mas que antes lhe permitiria ao dar realidade a seres que se distinguiriam da sua causa, ou seja, que seriam limitados do ponto de vista da perfeição[78]. O filósofo ainda acrescenta que todo o mal autorizado a vir ao mundo com as substâncias não perfeitas ocorreria apenas na particularidade das coisas, mas que no geral esse plano ainda seria o melhor dos mundos possíveis. O grande monarca incluiria no mundo uma espécie de mecanismo de

---

77. LEIBNIZ, 1969, p. 430s.: "Vindicação da causa de Deus", § 28s.

78. Ibid., p. 437-438, § 68-69s.

compensação para tais males particulares ou menores. Por isso, ele diz que nenhuma ação má do ponto de vista moral deixaria de ser compensada com alguma punição, por exemplo, um mal físico, ao menos algum desconforto. Porém, as ações boas, do ponto de vista moral, não deixariam de ser recompensadas. É visível que há certa apropriação do vocabulário cristão nessa tese de Leibniz, o qual também defendeu, como boa ação, a prática da caridade e do amor desinteressado pelo bem do outro.

Conforme a busca pelo bem agir ao longo da vida, segundo o bom discernimento e as boas práticas, Leibniz pensava que imitaríamos o criador e poderíamos entrar em sociedade com Deus, numa espécie de cidade comandada pelo ser perfeito[79]. Isso é o que propiciaria o caminho para a felicidade, mas, como foi dito, pela via ativa, não pela do fatalismo. Como um arquiteto excelente, Deus fez o melhor dos mundos, o mais belo do ponto de vista ontológico. Como o monarca mais justo, Deus agiu de maneira excelente ao escolher o melhor dos mundos possíveis, permitindo que o mal aparecesse apenas nas partes de tal plano, mas sendo eles compensados por maiores benefícios em um lugar que expressa o seu criador perfeito.

---

79. LEIBNIZ, 1969, p. 74-75: "Discurso de metafísica", § 35.

Leibniz se valia também de imagens estéticas, como as sombras nas pinturas e as dissonâncias nas melodias, para ilustrar essa autorização da vinda do mal para o mundo. As sombras e borrões nos quadros permitem um maior destaque nos pontos em que fossem representados objetos iluminados, dando-lhes destaque, entende ele. Na música, continuava, algumas dissonâncias a enriquecem ao haver uma recuperação das notas regulares. Assim, ambos os casos serviriam para expressar a grande harmonia do mundo criado por um ser perfeito[80].

O otimismo de Leibniz ganha relevo por meio do sistema de compensação pela via da justiça divina e pela crença em certo equilíbrio na obra que expressa as perfeições divinas. Assim, a revelação do melhor dos mundos não se daria imediatamente, mas ao longo do conjunto dos seus fatos. No entanto, se observarmos esses mesmos fatos, chama a atenção que ocorram diversos eventos que nos chocam, mesmo com o suposto meio de compensação para tais acontecimentos ruins. Leibniz insiste para que foquemos mais no mundo como um todo de tal modo que, mesmo que vejamos coisas ruins e diversas atrocidades, não duvidemos que possa haver outras coisas[81] que compensarão tais catástrofes.

---

80. LEIBNIZ, 1974, p. 397: "Da origem primeira das coisas".

81. Mesmo que fora do nosso planeta. Cf. LEIBNIZ, 1969, p. 435-436: "Vindicação da causa de Deus", § 58.

Tal argumento não convencerá um dos maiores opositores ao otimismo de estilo leibniziano, Voltaire, cujo texto mais emblemático sobre tal crítica é sua obra *Cândido ou o otimismo*, em que há um personagem que representa o pensamento otimista de inspiração leibniziana, o Doutor Pangloss[82]. A crítica de Voltaire à obra de Leibniz se deu em um momento em que havia uma grande reação contra as doutrinas religiosas e metafísicas na França, no período em que se deu o movimento iluminista do século XVIII.

Voltaire considerava absurda a fundamentação e a justificativa de base metafísica para o mal, como para explicar grandes catástrofes, como um em especial, que foi comovente na sua época, o Terremoto de Lisboa de 1755. Como extrair algo positivo a partir de um evento como esse? Por isso, de maneira cômica, para dar tom anedótico ao pensamento de Leibniz, Voltaire citou esse trágico evento no *Cândido* de tal modo que o Dr. Pangloss defendesse que esse terremoto seria compensado por coisas melhores, que o contrabalançariam, sem supostamente abalar a tese de que este é o melhor

---

82. Apesar de ter ficado registrado que o Doutor Pangloss representaria o próprio Leibniz em sentido estrito, pois de certo modo ele expressa as dificuldades que o filósofo se depararia com o seu otimismo, aquele personagem antes representaria a disseminação vulgar do pensamento leibniziano, sem o devido conhecimento de sua obra. Cf. BRANDÃO, p. 177-178.

dos mundos possíveis e de que havia uma razão suficiente para tal catástrofe.

Essa crítica de Voltaire é válida e toca importantes pontos em que Leibniz nem sempre foi claro e convincente ao assumir *a priori* a fundamentação dos fatos, reduzindo a função da experiência, da vivência dos eventos físicos e históricos. Mas a crítica mais dura à sua e a qualquer outra doutrina metafísica viria do seu país com a publicação da obra *Crítica da razão pura* de Kant. Esse texto não apenas abalaria o grande edifício da obra de Leibniz referente aos diversos temas que tratou, mas mexeria com os seus próprios alicerces. Kant mostrou que pensamentos como o de Leibniz extrapolavam limites intransponíveis para o entendimento humano, gerando muitas vezes um pensamento mais imaginativo do que próximo do real, do verdadeiro. Entretanto, o restante dessa história merece uma apresentação apropriada[83].

---

83. Não poderíamos deixar de sugerir ao leitor a própria *Crítica da razão pura*. Ainda sugerimos o volume que integra esta mesma coleção, *10 lições sobre Kant*, com atenção especial para sua Segunda lição (LEITE, 2014).

Considerações finais

Ao observarmos a vida de Leibniz, notamos que ele não foi muito exitoso no seu projeto político, na divulgação das suas ideias e, talvez, mesmo no arremate de suas teses. Ele não testemunhou em vida a unificação da Alemanha, algo que de fato ainda demoraria muito para ocorrer e que teve grande impacto na história. Também não conseguiu realizar a união nem difundir o espírito de tolerância entre católicos e protestantes graças à conciliação entre fé e razão por meio da prova racional dos principais dogmas religiosos. Leibniz trouxe antes desconfiança dos dois lados. Ele optou por não se converter ao catolicismo. Mas ao escolher o protestantismo, sua religião desde a infância, ele não conseguiu estabelecer uma boa reputação de maneira unânime.

A controvérsia com Isaac Newton também lhe custou caro, a ponto de ele não poder ter integrado a corte na Inglaterra do seu antigo protetor, o Duque de Brunswick, que viria a tornar-se o Rei George I, o que lhe poderia ter colocado em uma posição mais estratégica para realizar os seus projetos políticos e científicos. Leibniz teve que se contentar com o ostracismo de uma vida de bibliotecário em Hanover. Ele não chegou a ser comparado a Espinosa, mas não parece ter sido uma pessoa bem-vinda em diversos lugares, mesmo após ter tido tantos correspondentes ilustres e ter tido contato com alguns dos principais intelectuais de sua época.

Na verdade, quando lemos os textos de Leibniz, notamos que não são muito fáceis, principalmente os metafísicos, que são demasiadamente abstratos. Vimos também que, ao contrário de hoje, por muito tempo houve o acesso a uma quantidade restrita dos seus escritos, que permitiriam mostrar a que veio esse autor. Ele também apresentava um pensamento dinâmico, que, apesar de ter certos princípios assentados, ele não se daria por satisfeito e continuaria reanimando, revisando e retificando suas exposições. Poucos estariam dispostos ao difícil trabalho de decifrar um conjunto de papéis repletos de rasuras e correções. Seria difícil fazer-se entender pelos seus contemporâneos ou mesmo convencê-los numa época tão ávida por pensamentos sistemáticos e melhor acabados, como o de estilo cartesiano. Poucos provavelmente estariam dispostos a imergir em um emaranhado de papéis soltos a fim de dar algum sentido geral para o pensamento leibniziano. Suas obras publicadas não lhe permitiram tornar mais popular ou convencer o grande público. Mesmo a sua *Teodiceia*, uma de suas principais obras que veio a público, tenha sido publicada, isso não foi suficiente para coroar com algum reconhecimento imediato o imenso esforço de reflexão de seu autor.

Com o surgimento da filosofia crítica de Kant, parece que tinha sido dado o cheque-mate às doutrinas de Leibniz. Antes mesmo disso, diversos teóricos e teólogos consideraram perniciosas as teses desse filósofo para serem objeto de estudo nas academias alemãs[84].

O interesse sobre sua obra surgiu, sobretudo, a partir do século XIX, já em meio à corrente filosófica conhecida por Idealismo Alemão, fortemente influenciada por Kant. O aumento da atenção dada à obra leibniziana foi ainda mais fortalecida quando se iniciaram as primeiras edições de seus textos, recheadas de escritos até então desconhecidos pelo público. Ele passou a ser um filósofo cada vez mais valorizado pela sua tão amada nação. Ele foi um dos primeiros a exortar seus concidadãos a escreverem na sua língua materna, pois ele já acreditava que o alemão seria a língua ideal para as reflexões filosóficas, graças à característica da precisão que ele atribuía a ela.

---

84. Diversos detalhes sobre as controvérsias sobre a filosofia de Leibniz nas primeiras décadas de sua morte são relatadas em um texto de Catherine Wilson, "The reception of Leibniz in the eighteenth century" (apud JOLLEY, 1995, p. 442-474).

Após certo tempo, principalmente na França surgiram textos e livros mais preocupados em desfazer os nós internos aos textos de Leibniz, como os redigidos por alguns dos seus mais importantes editores, como Luis Couturat, Gaston Grua e Yvon Belaval, além de outros importantes estudiosos, como Martial Gueroult, Émile Boutroux, Pierre Bourgelin entre outros. Com tais estudiosos foi permitido que se começasse a construir um entendimento mais preciso do que seria a sua filosofia em suas diversas fases[85].

---

85. Nesse aspecto, pensando também um pouco sobre a vida do filósofo, é preciso destacar o livro *Leibniz: uma exposição crítica* de Bertrand Russel. Trata-se de um importante livro de Russel em que ele busca elucidar diversos conceitos e teses da obra leibniziana. Entretanto, nesse polêmico livro, pelo fato de como o próprio título indica tratar-se de uma exposição crítica e por ter sido redigido por outro filósofo, seu autor não é tão fiel ao pensamento leibniziano escrito, mas, pelo contrário, ele busca revelar os pontos aparentemente incoerentes e por quais vias Leibniz poderia ter evitado tais inconsistências, cuja origem seria o estilo de via do autor, a opção antes pelas cortes do que pela vida acadêmica. Não nos parece que Russel tenha sido totalmente justo em sua exposição do pensamento leibniziano, pois parece ter negligenciado exatamente o fato de Leibniz ter sido um filósofo politicamente ativo e, por isso, ciente da retórica, com a noção de que nas atividades políticas o discurso deve ter certa fluidez conforme o público a ser convencido. Associando a isso a atividade constante de revisão de suas teses, mas sem abrir mão de certos princípios, é compreensível certa fragmentação na produção filosófica de Leibniz e a não preocupação em produzir um grande pensamento sistemático, pois seus escritos públicos deveriam ser realmente ajustados aos seus interlocutores.

Apesar da falta de êxito principalmente em suas atividades políticas, isso não parece suficiente para afirmarmos que o esforço de Leibniz foi em vão, pois é notável que houve algum tipo de reconhecimento para ele, mesmo que esse autor não o tenha testemunhado em vida do seu legado.

Os estudos sobre os textos de Leibniz não se interromperam, pelo contrário, ganharam ainda mais força, como podemos notar por meio de grande quantidade de eventos, de livros e artigos a eles dedicados, inclusive esta apresentação feita até aqui. Portanto, as dificuldades inerentes à análise dos textos de Leibniz não impediram que surgisse algum fascínio por eles, fazendo com que o autor das mônadas tenha uma obra que ainda seja capaz de iluminar as principais questões filosóficas. Resta, então, ao leitor a decisão de arriscar-se a entrar no labirinto da filosofia desse autor, tomando diretamente em suas mãos os escritos de Leibniz.

Referências

1 Obras de Leibniz

LEIBNIZ, G.W. (2004). *Discurso de metafísica e outros escritos*. São Paulo: Martins Fontes [Apresentação e notas de Tessa M. Lacerda].

_____ (2003). *Escritos filosóficos*. Madri: A. Machado [Ed. de Ezequiel de Olaso].

_____ (2002). *Sistema novo da natureza e da comunicação das substâncias e outros textos*. Belo Horizonte: UFMG [Seleção e tradução de Edgar Marques].

_____ (1999). *Novos ensaios sobre o entendimento humano*. São Paulo: Nova Cultural [Trad. de Luiz João Baraúna].

_____ (1998 [1948]). *Textes inédits*: d'après les manuscrits de la Bibliothèque Provinciale de Hanover. Paris: PUF [Ed. e notas de Gaston Grua].

_____ (1991). *Escritos de dinâmica*. Madri: Tecnos.

_____ (1989). *Philosophical Essays*. Indianápolis/Cambridge: Hackett [Ed. e trad. de Daniel Garber e Roger Ariew].

_____ (1974). *Leibniz*. São Paulo: Abril [Coleção Os Pensadores].

_____ (1969). *Essais de théodicée*. Paris: Garnier-Flammarion [Ed. de J. Brunschwig].

_____ (1961). *Die Philosophischen Schriften von Gottfried Wilhem Leibniz*. 7 vols. Gerhardt/Hildeshein: Olms.

_____ (1950-). *Sämtliche Schriften und Briefe*. Darmstadt, 1923-; Leipzig, 1938; Berlim, 1950-. [Org. de Preussischen, bzw. der Deutschen Akademie der Wissenschaften zu Berlin].

_____ (1903). *Opuscules et fragments inédits de Leibniz*. Paris: Félix Alcan [Org. e trad. de L. Couturat].

2 Bibliografia secundária sobre Leibniz

BELAVAL, Y. (1962). *Leibniz*: Initiation a sa philosophie. Paris: Vrin.

BOUTROUX, E. (1949). *La philosophie allemande au XII siècle*. Paris: Vrin.

BRANDÃO, R. (2012). "Como levar Cândido a sério ou caricatura literária e crítica da teodiceia em Voltaire". *Revista Dois Pontos*, vol. 9, n. 3, dez. p.163-177.

FICHANT, M. (2000). "Da substância individual à mônada". *Analytica*, vol. 5, n. 1-2, p. 11-34.

GRUA, G.G. (1953). *Jurisprudence universelle et théodicée selon Leibniz*. Paris: PUF.

JOLLEY, N. (2005). *Leibniz*. Nova York: Routledge.

_____ (1995). *The Cambrige Companion to Leibniz*. São Diego: Cambridge University Press.

MOURA, C.A.R. (2002). *Racionalidade e crise*. São Paulo/Curitiba: Discurso/UFPR.

RUSSEL, B. (1958). *A filosofia de Leibniz*: uma exposição crítica. São Paulo: Companhia Editora Nacional [Trad. de J.E.E. Villalobos, H.L. Barros e J.P. Monteiro].

SANTOS, L.H.L. (1998). "Leibniz e os futuros contingentes". *Analytica*, vol. 3, n. 1, p. 91-121.

WOOLHOUSE, R.S. (1993). *Gottfried Wilhelm Leibniz*: Critical assentments. 4 vols. Londres/Nova York: Routledge.

3 Outras obras

ARISTÓTELES (2010). "Partes dos animais". *Obras completas de Aristóteles*. Vol. IV, tomo III.

Lisboa: Imprensa Nacional/Casa da Moeda [Trad. de Maria de Fátima Sousa e Silva].

ARISTOTLE (1984). *Complete Works*. Princeton: Princeton University Press [Ed. de Johathan Barnes].

DESCARTES, R. (1973). *Textos escolhidos*. São Paulo: Abril [Coleção Os Pensadores] [Trad. de J. Guinsburg e Bento Prado Jr.].

GALILEU, G. (1999). *Obras*. São Paulo: Editora Nova Cultural [Coleção Os Pensadores].

LEITE, F.T. (2014). *10 lições sobre Kant*. 8. ed. Petrópolis: Vozes [Coleção 10 Lições].

PEQUENO, M. (2012). *10 lições sobre Hume*. Petrópolis: Vozes [Coleção 10 Lições].

SPINOZA, B. (2011). *Ética*. Belo Horizonte; Autêntica [Trad. de Tomaz Tadeu].

COLEÇÃO 10 LIÇÕES
Coordenador: *Flamarion Tavares Leite*

– *10 lições sobre Kant*
  Flamarion Tavares Leite
– *10 lições sobre Marx*
  Fernando Magalhães
– *10 lições sobre Maquiavel*
  Vinícius Soares de Campos Barros
– *10 lições sobre Bodin*
  Alberto Ribeiro G. de Barros
– *10 lições sobre Hegel*
  Deyve Redyson
– *10 lições sobre Schopenhauer*
  Fernando J.S. Monteiro
– *10 lições sobre Santo Agostinho*
  Marcos Roberto Nunes Costa
– *10 lições sobre Foucault*
  André Constantino Yazbek
– *10 lições sobre Rousseau*
  Rômulo de Araújo Lima
– *10 lições sobre Hannah Arendt*
  Luciano Oliveira
– *10 lições sobre Hume*
  Marconi Pequeno
– *10 lições sobre Carl Schmitt*
  Agassiz Almeida Filho
– *10 lições sobre Hobbes*
  Fernando Magalhães
– *10 lições sobre Heidegger*
  Roberto S. Kahlmeyer-Mertens
– *10 lições sobre Walter Benjamin*
  Renato Franco
– *10 lições sobre Adorno*
  Antonio Zuin, Bruno Pucci e Luiz Nabuco Lastoria
– *10 lições sobre Leibniz*
  André Chagas
– *10 lições sobre Max Weber*
  Luciano Albino

CATEQUÉTICO PASTORAL

Catequese – Pastoral
Ensino religioso

CULTURAL

Administração – Antropologia – Biografias
Comunicação – Dinâmicas e Jogos
Ecologia e Meio Ambiente
Educação e Pedagogia
Filosofia – História – Letras e Literatura
Obras de referência – Política – Psicologia
Saúde e Nutrição – Serviço Social e Trabalho
Sociologia

TEOLÓGICO ESPIRITUAL

Biografias – Devocionários
Espiritualidade e Mística
Espiritualidade Mariana – Franciscanismo
Autoconhecimento – Liturgia
Obras de referência
Sagrada Escritura e Livros Apócrifos – Teologia

REVISTAS

Concilium – Estudos Bíblicos
Grande Sinal
REB – SEDOC

VOZES NOBILIS

Uma linha editorial especial, com importantes autores, alto valor agregado e qualidade superior.

PRODUTOS SAZONAIS

Folhinha do Sagrado Coração de Jesus
Calendário de mesa do Sagrado Coração de Jesus
Agenda do Sagrado Coração de Jesus
Almanaque Santo Antônio – Agendinha
Diário Vozes – Meditações para o dia a dia
Encontro diário com Deus – Guia Litúrgico

VOZES DE BOLSO

Obras clássicas de Ciências Humanas em formato de bolso.

CADASTRE-SE
www.vozes.com.br

EDITORA VOZES LTDA.
Rua Frei Luís, 100 – Centro – Cep 25689-900 – Petrópolis, RJ
Tel.: (24) 2233-9000 – Fax: (24) 2231-4676 – E-mail: vendas@vozes.com.br

UNIDADES NO BRASIL: Belo Horizonte, MG – Brasília, DF – Campinas, SP – Cuiabá, MT
Curitiba, PR – Florianópolis, SC – Fortaleza, CE – Goiânia, GO – Juiz de Fora, MG
Manaus, AM – Petrópolis, RJ – Porto Alegre, RS – Recife, PE – Rio de Janeiro, RJ
Salvador, BA – São Paulo, SP